Ödön von Horváth
Jugend ohne Gott

Roman
Mit einem Kommentar
von Elisabeth Tworek

Suhrkamp

Der vorliegende Text folgt der Ausgabe:
Ödön von Horváth, Gesammelte Werke.
Herausgegeben von Traugott Krischke unter Mitarbeit von
Susanna Foral-Krischke.
Band 4: Prosa und Verse 1918–1938, S. 447–587.
Frankfurt am Main: Suhrkamp Verlag 1988

Originalausgabe
Suhrkamp BasisBibliothek 7
Erste Auflage 1999

Satz: Pagina GmbH, Tübingen
Druck: Ebner Ulm
Umschlaggestaltung: Hermann Michels
Printed in Germany

1 2 3 4 5 6 – 04 03 02 01 00 99

Inhalt

Ödön von Horváth
Jugend ohne Gott

Roman

⌐Die Neger⌐

25. März.

Auf meinem Tische stehen Blumen. Lieblich. Ein Geschenk
meiner braven Hausfrau*, denn heute ist mein Geburts-   Vermieterin
5 tag.

Aber ich brauche den Tisch und rücke die Blumen beiseite
und auch den Brief meiner alten Eltern. Meine Mutter
schrieb: »Zu Deinem vierunddreißigsten Geburtstage
wünsche ich Dir, mein liebes Kind, das Allerbeste. Gott der
10 Allmächtige, gebe Dir Gesundheit, Glück und Zufrieden-
heit!« Und mein Vater schrieb: »Zu Deinem vierunddreißigsten Geburtstage, mein lieber Sohn, wünsche ich Dir
alles Gute. Gott der Allmächtige gebe Dir Glück, Zufrie-
denheit und Gesundheit!«

15 Glück kann man immer brauchen, denke ich mir, und ge-
sund bist du auch, gottlob! Ich klopfe auf Holz. Aber zufrieden? Nein, zufrieden bin ich eigentlich nicht. Doch das
ist ja schließlich niemand.

Ich setze mich an den Tisch, entkorke eine rote Tinte, mach
20 mir dabei die Finger tintig und ärgere mich darüber. Man
sollt endlich mal eine Tinte erfinden, mit der man sich unmöglich tintig machen kann!

Nein, zufrieden bin ich wahrlich nicht.

Denk nicht so dumm, herrsch ich mich an. Du hast doch
25 eine sichere Stellung mit Pensionsberechtigung und das ist
in der heutigen Zeit, wo niemand weiß, ob sich morgen die
Erde noch drehen wird, allerhand! Wie viele würden sich
sämtliche Finger ablecken, wenn sie an deiner Stelle wären?! Wie gering ist doch der Prozentsatz der Lehramts-
30 kandidaten, die wirklich Lehrer werden können! Danke
Gott, daß du zum Lehrkörper eines Städtischen Gymnasiums gehörst und daß du also ohne wirtschaftliche Sorgen
alt und blöd werden darfst! Du kannst doch auch hundert

Jahre alt werden, vielleicht wirst du sogar mal der älteste Einwohner des Vaterlandes! Dann kommst du an deinem Geburtstag in die Illustrierte und darunter wird stehen: »Er ist noch bei regem Geiste.« Und das alles mit Pension! Bedenk und versündig dich nicht!

Ich versündige mich nicht und beginne zu arbeiten.

Sechsundzwanzig blaue Hefte liegen neben mir, sechsundzwanzig Buben, so um das vierzehnte Jahr herum, hatten gestern in der Geographiestunde einen Aufsatz zu schreiben, ich unterrichte nämlich Geschichte und Geographie. Draußen scheint noch die Sonne, fein muß es sein im Park! Doch Beruf ist Pflicht, ich korrigiere die Hefte und schreibe in mein Büchlein hinein, wer etwas taugt oder nicht.

Das von der Aufsichtsbehörde vorgeschriebene Thema der Aufsätze lautet: ⌐»Warum müssen wir Kolonien haben?«⌐ Ja, warum? Nun, lasset uns hören!

Der erste Schüler beginnt mit einem B: er heißt Bauer, mit dem Vornamen Franz. In dieser Klasse gibts keinen, der mit A beginnt, dafür haben wir aber gleich fünf mit B. Eine Seltenheit, so viele B's bei insgesamt sechsundzwanzig Schülern! Aber zwei B's sind Zwillinge, daher das Ungewöhnliche. Automatisch überfliege ich die Namensliste in meinem Büchlein und stelle fest, daß B nur von S fast erreicht wird – stimmt, vier beginnen mit S, drei mit M, je zwei mit E, G, L und R, je einer mit F, H, N, T, W, Z, während keiner der Buben mit A, C, D, I, O, P, Q, U, V, X, Y beginnt.

Nun, Franz Bauer, warum brauchen wir Kolonien?

»Wir brauchen die Kolonien«, schreibt er, »weil wir zahlreiche Rohstoffe benötigen, denn ohne Rohstoffe könnten wir unsere hochstehende Industrie nicht ihrem innersten Wesen und Werte nach beschäftigen, was zur unleidlichen Folge hätte, daß ⌐der heimische Arbeitsmann wieder arbeitslos werden würde.« Sehr richtig, lieber Bauer! »Es dreht sich zwar nicht um die Arbeiter« – sondern, Bauer? –,

»es dreht sich vielmehr um das Volksganze, denn auch der Arbeiter gehört letzten Endes zum Volk.«⌐

Das ist ohne Zweifel letzten Endes eine großartige Entdeckung, geht es mir durch den Sinn und plötzlich fällt es mir
5   wieder auf, wie häufig in unserer Zeit uralte Weisheiten als erstmalig formulierte Schlagworte serviert werden. Oder war das immer schon so?

Ich weiß es nicht.

Jetzt weiß ich nur, daß ich wieder mal sechsundzwanzig
10   Aufsätze durchlesen muß, Aufsätze, die mit schiefen Voraussetzungen falsche Schlußfolgerungen ziehen. Wie schön wärs, wenn sich »schief« und »falsch« aufheben würden, aber sie tuns nicht. Sie wandeln Arm in Arm daher und singen hohle Phrasen.

15   Ich werde mich hüten als städtischer Beamter, an diesem lieblichen Gesange auch nur die leiseste Kritik zu üben! Wenns auch weh tut, was vermag der einzelne gegen alle? Er kann sich nur heimlich ärgern. Und ich will mich nicht mehr ärgern!

20   Korrigier rasch, du willst noch ins Kino!

Was schreibt denn da der N?

⌐»Alle Neger sind hinterlistig, feig und faul.«⌐

– Zu dumm! Also das streich ich durch!

Und ich will schon mit roter Tinte an den Rand schreiben:
25   »Sinnlose Verallgemeinerung!« – da stocke ich. Aufgepaßt, habe ich denn diesen Satz über die Neger in letzter Zeit nicht schon mal gehört? Wo denn nur? Richtig: er tönte aus dem Lautsprecher im Restaurant und verdarb mir fast den Appetit.

30   Ich lasse den Satz also stehen, denn was einer im ⌐Radio⌐ redet, darf kein Lehrer im Schulheft streichen.

Und während ich weiterlese, höre ich immer das Radio: es lispelt, es heult, es bellt, es girrt, es droht – und die Zeitungen drucken es nach und die Kindlein, sie schreiben es ab.

35   Nun hab ich den Buchstaben T verlassen und schon kommt

Z. Wo bleibt W? Habe ich das Heft verlegt? Nein, der W
war ja gestern krank – er hatte sich am Sonntag im Stadion
eine Lungenentzündung geholt, stimmt, der Vater hats mir
ja schriftlich korrekt mitgeteilt. Armer W! Warum gehst du
auch ins Stadion, wenns eisig in Strömen regnet?   5
Diese Frage könntest du eigentlich auch an dich selbst stellen, fällt es mir ein, denn du warst ja am Sonntag ebenfalls
im Stadion und harrtest treu bis zum Schlußpfiff aus, obwohl der Fußball, den die beiden Mannschaften boten,
keineswegs hochklassig war. Ja, das Spiel war sogar ausge- 10
sprochen langweilig – also: warum bliebst du?
Und mit dir dreißigtausend zahlende Zuschauer?
Warum?

Mittelfeldspieler   Wenn der Rechtsaußen den linken Half* überspielt und
flanken, in die   zentert*, wenn der Mittelstürmer den Ball in den leeren 15
Mitte spielen   Raum vorlegt und der Tormann sich wirft, wenn der Halb-
linke seine Verteidigung entlastet und ein Flügelspiel for-
ciert, wenn der Verteidiger auf der Torlinie rettet, wenn
einer unfair rempelt oder eine ritterliche Geste verübt,
wenn der Schiedsrichter gut ist oder schwach, parteiisch   20
oder parteilos, dann existiert für den Zuschauer nichts auf
der Welt, außer dem Fußball, ob die Sonne scheint, obs
regnet oder schneit. Dann hat er alles vergessen.
Was »alles«?
Ich muß lächeln: die Neger, wahrscheinlich – –   25

Es regnet

Als ich am nächsten Morgen in das Gymnasium kam und
die Treppe zum Lehrerzimmer emporstieg, hörte ich auf
dem zweiten Stock einen wüsten Lärm. Ich eilte empor und
sah, daß fünf Jungen, und zwar E, G, R, H, T, einen ver- 30
prügelten, nämlich den F.

12

»Was fällt euch denn ein?« schrie ich sie an. »Wenn ihr schon glaubt, noch raufen zu müssen, wie die Volksschüler, dann rauft doch gefälligst einer gegen einen, aber fünf gegen einen, also das ist eine Feigheit!«

Sie sahen mich verständnislos an, auch der F, über den die fünf hergefallen waren. Sein Kragen war zerrissen. »Was hat er euch denn getan?« fragte ich weiter, doch die Helden wollten nicht recht heraus mit der Sprache und auch der Verprügelte nicht. Erst allmählich brachte ich es heraus, daß der F den fünfen nichts angetan hatte, sondern im Gegenteil: die fünf hatten ihm seine Buttersemmel gestohlen, nicht, um sie zu essen, sondern nur, damit er keine hat. Sie haben die Semmel durch das Fenster auf den Hof geschmissen.

Ich schaue hinab. Dort liegt sie auf dem grauen Stein. Es regnet noch immer und die Semmel leuchtet hell herauf.

Und ich denke: vielleicht haben die fünf keine Semmeln und es ärgert sie, daß der F eine hatte. Doch nein, sie hatten alle ihre Semmeln und der G sogar zwei. Und ich frage nochmals: »Warum habt ihr das also getan?« Sie wissen es selber nicht. Sie stehen vor mir und grinsen verlegen. Ja, der Mensch dürfte wohl böse sein und das steht auch schon in der Bibel. ⌐Als es aufhörte zu regnen und die Wasser der Sündflut wieder wichen, sagte Gott: »Ich will hinfort nicht mehr die Erde strafen um der Menschen willen, denn das Trachten des menschlichen Herzens ist böse von Jugend auf.«⌐

Hat Gott sein Versprechen gehalten? Ich weiß es noch nicht. Aber ich frage nun nicht mehr, warum sie die Semmel auf den Hof geworfen haben. Ich erkundige mich nur, ob sie es noch nie gehört hätten, daß sich seit Urzeiten her, seit tausend und tausend Jahren, seit dem Beginn der menschlichen Gesittung, immer stärker und stärker ein ungeschriebenes Gesetz herausgebildet hat, ein schönes männliches Gesetz: Wenn ihr schon rauft, dann raufe nur

einer gegen einen! Bleibt immer ritterlich! Und ich wende
mich wieder an die fünf und frage: »Schämt ihr euch denn
nicht?«
Sie schämen sich nicht. Ich rede eine andere Sprache. Sie
sehen mich groß an, nur der Verprügelte lächelt. Er lacht
mich aus.
»Schließt das Fenster«, sage ich, »sonst regnets noch herein!«
Sie schließen es.
Was wird das für eine Generation? Eine harte oder nur eine
rohe?
Ich sage kein Wort mehr und gehe ins Lehrerzimmer. Auf
der Treppe bleibe ich stehen und lausche: ob sie wohl wieder raufen? Nein, es ist still. Sie wundern sich.

Die reichen Plebejer

Von 10–11 hatte ich Geographie. In dieser Stunde mußte
ich die gestern korrigierte Schulaufgabe betreffs der kolonialen Frage drannehmen. Wie bereits erwähnt, hatte man
gegen den Inhalt der Aufsätze ⌈vorschriftsgemäß⌉ nichts
einzuwenden.
Ich sprach also, während ich nun die Hefte an die Schüler
verteilte, lediglich über Sprachgefühl, Orthographie und
Formalitäten. So sagte ich dem einen B, er möge nicht immer über den linken Rand hinausschreiben, dem R, die
Absätze müßten größer sein, dem Z, man schreibt Kolonien mit e und nicht Kolonihn mit h. Nur als ich dem N sein
Heft zurückgab, konnte ich mich nicht zurückhalten: »Du
schreibst«, sagte ich, »daß wir Weißen kulturell und zivi-
lisatorisch über den Negern stehen, und das dürfte auch
stimmen. Aber du darfst doch nicht schreiben, daß es auf

die Neger nicht ankommt, ob sie nämlich leben können oder nicht. Auch die Neger sind doch Menschen.«

Er sah mich einen Augenblick starr an und dann glitt ein unangenehmer Zug über sein Gesicht. Oder hatte ich mich getäuscht? Er nahm sein Heft mit der guten Note, verbeugte sich korrekt und nahm wieder Platz in seiner Bank.

Bald sollte ich es erfahren, daß ich mich nicht getäuscht hatte.

Bereits am nächsten Tage erschien der Vater des N in meiner Sprechstunde, die ich wöchentlich einmal abhalten mußte, um mit den Eltern in Kontakt zu kommen. Sie erkundigten sich über die Fortschritte ihrer Kinder und holten sich Auskunft über allerhand, meist recht belanglose, Erziehungsprobleme. Es waren ⌐brave Bürger, Beamte, Offiziere, Kaufleute⌐. Arbeiter war keiner darunter.

Bei manchem Vater hatte ich das Gefühl, daß er über den Inhalt der diversen Schulaufsätze seines Sprößlings ähnlich denkt wie ich. Aber wir sahen uns nur an, lächelten und sprachen über das Wetter. Die meisten Väter waren älter als ich, einer war sogar ein richtiger Greis. Der jüngste ist vor knapp zwei Wochen achtundzwanzig geworden. Er hatte mit siebzehn Jahren die Tochter eines Industriellen verführt, ein eleganter Mensch. Wenn er zu mir kommt, fährt er immer in seinem Sportwagen vor. Die Frau bleibt unten sitzen und ich kann sie von droben sehen. Ihren Hut, ihre Arme, ihre Beine, Sonst nichts. Aber sie gefällt mir. Du könntest auch schon einen Sohn haben, denke ich dann, aber ich kann mich beherrschen, ein Kind in die Welt zu setzen. Nur damits in irgendeinem Krieg erschossen wird!

Nun stand der Vater des N vor mir. Er hatte einen selbstsicheren Gang und sah mir aufrecht in die Augen. »Ich bin der Vater des Otto N.« »Freut mich, Sie kennenzulernen, Herr N«, antwortete ich, verbeugte mich, wie es sich gehört, bot ihm Platz an, doch er setzte sich nicht. »Herr

Lehrer«, begann er, »mein Hiersein hat den Grund in einer überaus ernsten Angelegenheit, die wohl noch schwerwiegende Folgen haben dürfte. Mein Sohn Otto teilte mir gestern nachmittag in heller Empörung mit, daß Sie, Herr Lehrer, eine schier unerhörte Bemerkung fallen gelassen 5 hätten –«

»Ich?«

»Jawohl, Sie!«

»Wann?«

»Anläßlich der gestrigen Geographiestunde. Die Schüler 10 schrieben einen Aufsatz über Kolonialprobleme und da sagten Sie zu meinem Otto: Auch die Neger sind Menschen. Sie wissen wohl, was ich meine?«

»Nein.«

Ich wußte es wirklich nicht. Er sah mich prüfend an. Gott, 15 muß der dumm sein, dachte ich.

»Mein Hiersein«, begann er wieder langsam und betont, »hat seinen Grund in der Tatsache, daß ich seit frühester Jugend nach Gerechtigkeit strebe. Ich frage Sie also: ist jene ominöse* Äußerung über die Neger Ihrerseits in dieser 20 Form und in diesem Zusammenhang tatsächlich gefallen oder nicht?«

»Ja«, sagte ich und mußte lächeln: »Ihr Hiersein wäre also nicht umsonst –«

»Bedauere bitte«, unterbrach er mich schroff, »ich bin zu 25 Scherzen nicht aufgelegt! Sie sind sich wohl noch nicht im klaren darüber, was eine derartige Äußerung über die Neger bedeutet?! Das ist Sabotage am Vaterland! Oh, mir machen Sie nichts vor! Ich weiß es nur zu gut, auf welch heimlichen Wegen und mit welch perfiden Schlichen das 30 Gift Ihrer Humanitätsduselei unschuldige Kinderseelen zu unterhöhlen trachtet!«

Nun wurds mir aber zu bunt!

»Erlauben Sie«, brauste ich auf, »das steht doch bereits in der Bibel, daß alle Menschen Menschen sind!« 35

fragwürdige, verdächtige

»Als die Bibel geschrieben wurde, gabs noch keine Kolonien in unserem Sinne«, dozierte* felsenfest der Bäckermeister. »Eine Bibel muß man in übertragenem Sinn verstehen, bildlich oder gar nicht! Herr, glauben Sie denn, daß Adam und Eva leibhaftig gelebt haben oder nur bildlich?! Na also! Sie werden sich nicht auf den lieben Gott hinausreden, dafür werde ich sorgen!«

hier: belehrte, schulmeisterte

»Sie werden für gar nichts sorgen«, sagte ich und komplimentierte ihn hinaus*. Es war ein Hinauswurf. ⌜»Bei Philippi sehen wir uns wieder!«⌝ rief er mir noch zu und verschwand.

zwang ihn zum Gehen

Zwei Tage später stand ich bei Philippi.

Der Direktor hatte mich rufen lassen. »Hören Sie«, sagte er, »es kam hier ein Schreiben von der Aufsichtsbehörde. Ein gewisser Bäckermeister N hat sich über Sie beschwert, Sie sollen da so Äußerungen fallen gelassen haben. – Nun, ich kenne das und weiß, wie solche Beschwerden zustande kommen, mir müssen Sie nichts erklären! Doch, lieber Kollege, ist es meine Pflicht, Sie darauf aufmerksam zu machen, daß sich derlei nicht wiederholt. Sie vergessen ⌜das geheime Rundschreiben 5679 u/33⌝! Wir müssen von der Jugend alles fernhalten, was nur in irgendeiner Weise ihre zukünftigen militärischen Fähigkeiten beeinträchtigen könnte – das heißt: wir müssen sie moralisch zum Krieg erziehen. Punkt!«

Ich sah den Direktor an, er lächelte und erriet meine Gedanken. Dann erhob er sich und ging hin und her. Er ist ein schöner alter Mann, dachte ich.

»Sie wundern sich«, sagte er plötzlich, »daß ich die Kriegsposaune blase, und Sie wundern sich mit Recht! Sie denken jetzt, siehe welch ein Mensch! Vor wenigen Jahren noch unterschrieb er flammende Friedensbotschaften, und heute? Heut rüstet er zur Schlacht!«

»Ich weiß es, daß Sie es nur gezwungen tun«, suchte ich ihn zu beruhigen.

Er horchte auf, blieb vor mir stehen und sah mich aufmerksam an. »Junger Mann«, sagte er ernst, »merken Sie sich eines: es gibt keinen Zwang. Ich könnte ja dem Zeitgeist widersprechen und mich von einem Herrn Bäckermeister einsperren lassen, ich könnte ja hier gehen, aber ich will nicht gehen, jawohl, ich will nicht! Denn ich möchte die Altersgrenze erreichen, um die volle Pension beziehen zu können.«

Das ist ja recht fein, dachte ich.

»Sie halten mich für einen Zyniker«, fuhr er fort und sah mich nun schon ganz väterlich an. »Oh, nein! Wir alle, die wir zu höheren Ufern der Menschheit strebten, haben eines vergessen: die Zeit! Die Zeit, in der wir leben. Lieber Kollege, wer so viel gesehen hat wie ich, der erfaßt allmählich das Wesen der Dinge.«

Du hast leicht reden, dachte ich wieder, du hast ja noch die schöne Vorkriegszeit miterlebt. Aber ich? Ich hab erst ⌐im letzten Kriegsjahr zum erstenmal geliebt⌐ und frage nicht, was.

»Wir leben in einer ⌐plebejischen Welt⌐«, nickte er mir traurig zu. »Denken Sie nur an ⌐das alte Rom, 287 vor Christi Geburt. Der Kampf zwischen den Patriziern und Plebejern war noch nicht entschieden⌐, aber die Plebejer hatten bereits wichtigste Staatsposten besetzt.«

»Erlauben Sie, Herr Direktor«, wagte ich einzuwenden, »soviel ich weiß, regieren bei uns doch keine armen Plebejer, sondern es regiert einzig und allein das Geld.« Er sah mich wieder groß an und lächelte versteckt: »Das stimmt. Aber ich werde Ihnen jetzt gleich ein Ungenügend in Geschichte geben, Herr Geschichtsprofessor! Sie vergessen ja ganz, daß es auch reiche Plebejer gab. Erinnern Sie sich?«

Ich erinnerte mich. Natürlich! ⌐Die reichen Plebejer⌐ verließen das Volk und bildeten mit den bereits etwas dekadenten* Patriziern den neuen Amtsadel, die sogenannten Optimates*.

im Verfall begriffen

Teil der Senatsaristokratie, der sich zur Senatsherrschaft bekannte und sich damit als konservative, staatstragende Schicht verstand

Die reichen Plebejer

»Vergessen Sies nur nicht wieder!«
»Nein.«

Das Brot

Als ich zur nächsten Stunde die Klasse, in der ich mir er-
5 laubte, etwas über die Neger zu sagen, betrete, fühle ich
sogleich, daß etwas nicht in Ordnung ist. Haben die Herren meinen Stuhl mit Tinte beschmiert? Nein. Warum
schauen sie mich nur so schadenfroh an?
Da hebt einer die Hand. Was gibts? Er kommt zu mir, ver-
10 beugt sich leicht, überreicht mir einen Brief und setzt sich
wieder.
Was soll das?
Ich erbreche den Brief, überfliege ihn, möchte hochfahren,
beherrsche mich jedoch und tue, als würde ich ihn genau
15 lesen. Ja, alle haben ihn unterschrieben, alle fünfundzwanzig, der W ist immer noch krank.
»Wir wünschen nicht mehr«, steht in dem Brief, »von Ihnen unterrichtet zu werden, denn nach dem Vorgefallenen
haben wir Endesunterzeichneten kein Vertrauen mehr zu
20 Ihnen und bitten um eine andere Lehrkraft.«
Ich blicke die Endesunterzeichneten an, einen nach dem
anderen. Sie schweigen und sehen mich nicht an. Ich un-
terdrücke meine Erregung und frage, wie so nebenbei:
»Wer hat das geschrieben?«
25 Keiner meldet sich.
»So seid doch nicht so feig!«
Sie rühren sich nicht.
»Schön«, sage ich und erhebe mich, »es interessiert mich
auch nicht mehr, wer das geschrieben hat, ihr habt euch ja
30 alle unterzeichnet – Gut, auch ich habe nicht die geringste

Lust, eine Klasse zu unterrichten, die zu mir kein Vertrauen
hat. Doch glaubt mir, ich wollte nach bestem Gewissen« –
ich stocke, denn ich bemerke plötzlich, daß einer unter der
Bank schreibt.

»Was schreibst du dort?«

Er will es verstecken.

»Gibs her!«

Ich nehme es ihm weg und er lächelt höhnisch. Es ist ein
Blatt Papier, auf dem er jedes meiner Worte mitstenogra-
phierte.

»Ach, ihr wollt mich bespitzeln?«

Sie grinsen.

Grinst nur, ich verachte euch. Hier hab ich, bei Gott, nichts
mehr verloren. Soll sich ein anderer mit euch raufen!

Ich gehe zum Direktor, teile ihm das Vorgefallene mit und
bitte um eine andere Klasse. Er lächelt: »Meinen Sie, die
anderen sind besser?« Dann begleitet er mich in die Klasse
zurück. Er tobt, er schreit, er beschimpft sie – ein herrlicher
Schauspieler! Eine Frechheit wärs, brüllt er, eine Nieder-
tracht, und die Lümmel hätten kein Recht, einen anderen
Lehrer zu fordern, was ihnen einfiele, ob sie denn verrückt
geworden seien, usw.! Dann läßt er mich wieder allein zurück.

Da sitzen sie nun vor mir. Sie hassen mich. Sie möchten
mich ruinieren, meine Existenz und alles, nur weil sie es
nicht vertragen können, daß ein Neger auch ein Mensch
ist. Ihr seid keine Menschen, nein!

Aber wartet nur, Freunde! Ich werde mir wegen euch keine
Disziplinarstrafe zuziehen, geschweige denn mein Brot verlieren – nichts zum Fressen soll ich haben, was? Keine Kleider, keine Schuhe? Kein Dach? Würd euch so passen! Nein,
ich werde euch von nun ab nur mehr erzählen, daß es keine
Menschen gibt, außer euch, ich will es euch so lange erzählen, bis euch die Neger rösten! Ihr wollt es ja nicht anders!

An diesem Abend wollt ich nicht schlafen gehen. Immer sah ich das Stenogramm vor mir – ja, sie wollen mich vernichten.

5 Wenn sie Indianer wären, würden sie mich an den Marterpfahl binden und skalpieren, und zwar mit dem besten Gewissen.

Sie sind überzeugt, sie hätten recht.

Es ist eine schreckliche Bande!

10 Oder versteh ich sie nicht? Bin ich denn mit meinen vierunddreißig Jahren bereits zu alt? Ist die Kluft zwischen uns tiefer als sonst zwischen Generationen?

Heut glaube ich, sie ist unüberbrückbar.

Daß diese Burschen alles ablehnen, was mir heilig ist, wär
15 zwar noch nicht so schlimm. Schlimmer ist schon, wie sie es ablehnen, nämlich: ohne es zu kennen. Aber das Schlimmste ist, daß sie es überhaupt nicht kennenlernen wollen!

Alles Denken ist ihnen verhaßt.

Sie pfeifen auf den Menschen! Sie wollen Maschinen sein,
20 Schrauben, Räder, Kolben, Riemen – doch noch lieber als Maschinen wären sie Munition: Bomben, Schrapnells*, Granaten. Wie gerne würden sie krepieren* auf irgendeinem Feld! Der Name auf einem Kriegerdenkmal ist der Traum ihrer Pubertät.

25 Doch halt! Ist es nicht eine große Tugend, diese Bereitschaft zum höchsten Opfer?

Gewiß, wenn es um eine gerechte Sache geht –

Um was geht es hier?

»Recht ist, was der eigenen Sippschaft frommt*«, sagt das
30 Radio. Was uns nicht gut tut, ist Unrecht. Also ist alles erlaubt, Mord, Raub, Brandstiftung, Meineid – ja, es ist nicht nur erlaubt, sondern es gibt überhaupt keine Untaten, wenn sie im Interesse der Sippschaft begangen werden!

Was ist das?

Sprenggeschoss mit Kugelfüllung

verenden

NS-Jargon für: was dem eigenen Volk zugute kommt

Der Standpunkt des Verbrechers.

Als die reichen Plebejer im alten Rom fürchteten, daß das
Volk seine Forderung, die Steuern zu erleichtern, durchdrücken könnte, zogen sie sich in den Turm der Diktatur
zurück. Und sie verurteilten den ⌐Patrizier Manlius Capi-
tolinus⌐, der mit seinem Vermögen plebejische Schuldner
aus der Schuldhaft befreien wollte, als Hochverräter zum
Tode und stürzten ihn vom Tarpejischen Felsen* hinab.

Seit es eine menschlich Gesellschaft gibt, kann sie aus
Selbsterhaltungsgründen auf das Verbrechen nicht verzich-
ten. Aber die Verbrechen wurden verschwiegen, vertuscht,
man hat sich ihrer geschämt.

Heute ist man stolz auf sie.

Es ist eine Pest.

Wir sind alle verseucht, Freund und Feind. Unsere Seelen
sind voller schwarzer Beulen, bald werden sie sterben.
Dann leben wir weiter und sind doch tot.

Auch meine Seele ist schon schwach. Wenn ich in der
Zeitung lese, daß einer von denen umgekommen ist, denke
ich: »Zu wenig! zu wenig!«

Habe ich nicht auch heute gedacht: »Geht alle drauf«?

Nein, jetzt will ich nicht weiterdenken! Jetzt ⌐wasche ich
meine Hände⌐ und geh ins Café. Dort sitzt immer wer, mit
dem man Schach spielen kann! Nur hinaus jetzt aus meinem Zimmer! Luft! –

Die Blumen, die ich von meiner Hausfrau zum Geburtstag
bekam, sind verwelkt. Sie kommen auf den Mist. Morgen
ist Sonntag.

In dem Café sitzt keiner, den ich kenne. Niemand.

Was tun?

Ich geh ins Kino.

In der Wochenschau seh ich die reichen Plebejer. Sie ent-
hüllen ihre eigenen Denkmäler, machen die ersten Spa-
tenstiche und nehmen die Paraden ihrer Leibgarden ab.
Dann folgt ein Mäuslein, das die größten Katzen besiegt,

und dann eine spannende Kriminalgeschichte, in der viel geschossen wird, damit das gute Prinzip triumphieren möge.

Als ich das Kino verlasse, ist es Nacht.

5 Aber ich geh nicht nach Haus. Ich fürchte mich vor meinem Zimmer.

Drüben ist eine Bar, dort werd ich was trinken, wenn sie billig ist.

Sie ist nicht teuer.

10 Ich trete ein. Ein Fräulein will mir Gesellschaft leisten.

»So ganz allein?« fragte sie.

»Ja«, lächle ich, »leider –«

»Darf ich mich zu Ihnen setzen?«

»Nein.«

15 Sie zieht sich gekränkt zurück. Ich wollt Ihnen nicht weh tun, Fräulein. Seien Sie mir nicht böse, aber ich bin allein.

⌐Das Zeitalter der Fische⌐

Als ich den sechsten Schnaps getrunken hatte, dachte ich, man müßte eine Waffe erfinden, mit der man jede Waffe um 20 ihren Effekt bringen könnte, gewissermaßen also: das Gegenteil einer Waffe – ach, wenn ich nur ein ⌐Erfinder⌐ wäre, was würd ich nicht alles erfinden! Wie glücklich wär die Welt!

Aber ich bin kein Erfinder, und was würde die Welt nicht 25 alles versäumen, wenn ich ihr Licht nicht erblickt hätte? Was würde die Sonne dazu sagen? Und wer würde denn dann in meinem Zimmer wohnen?

Frag nicht so dumm, du bist betrunken! Du bist eben da. Was willst du denn noch, wo du es gar nicht wissen kannst, 30 ob es dein Zimmer überhaupt geben würde, wenn du nicht

geboren worden wärst? Vielleicht wär dann dein Bett noch
ein Baum! Na also! Schäm dich, alter Esel, fragst mit me-
taphysischen Allüren*, wie ein Schulbub von anno dazu-
mal, der seine Aufklärung in puncto Liebe noch nicht ver-
daut hat! Forsche nicht im Verborgenen, trink lieber deinen 5
siebten Schnaps!

Ich trinke, ich trinke – Meine Damen und Herren, ich liebe
den Frieden nicht! Ich wünsche uns allen den Tod! Aber
keinen einfachen, sondern einen komplizierten – man
müßte die Folter wieder einführen, jawohl: die Folter! Man 10
kann nicht genug Schuldgeständnisse erpressen, denn der
Mensch ist schlecht!

Nach dem achten Schnaps nickte ich dem Pianisten freundlich zu, obwohl mir seine Musik bis zum sechsten Schnaps
arg mißfiel. Ich bemerkte es gar nicht, daß ein Herr vor mir 15
stand, der mich bereits zweimal angesprochen hatte. Erst
beim drittenmal erblickte ich ihn.

Literatur- und
Sprachwissen-
schaftler für
Griech. und
Lat.

höhere Schule
für Mädchen

Ich erkannte ihn sogleich.

Es war unser ⌈Julius Caesar⌉.

Ursprünglich ein geachteter Kollege, ein Altphilologe* vom 20
Mädchenlyzeum*, geriet er in eine böse Sache. Er ließ sich
mit einer minderjährigen Schülerin ein und wurde eingesperrt. Man sah ihn lange nicht, dann hörte ich, er würde
mit allerhand Schund hausieren, von Tür zu Tür. Er trug
eine auffallend große Krawattennadel, einen Miniatur- 25
totenkopf, in welchem eine einzige Glühbirne stak*, die mit
einer Batterie in seiner Tasche verbunden war. Drückte er
auf einen Knopf, leuchteten die Augenhöhlen seines To-
tenkopfes rot auf. Das waren seine Scherze. Eine gestrandete Existenz. 30

Ich weiß nicht mehr, wieso es kam, daß er plötzlich neben
mir saß und daß wir in eine hitzige Debatte verstrickt waren. Ja, ich war sehr betrunken und erinnere mich nur an
einzelne Gesprächsfetzen –

Julius Caesar sagt: »Was Sie da herumreden, verehrter Kol- 35

lega, ist lauter unausgegorenes Zeug! Höchste Zeit, daß Sie
sich mal mit einem Menschen unterhalten, der nichts mehr
zu erhoffen hat und der daher mit freiem Blick den Wandel
der Generationen unbestechlich begreift! Also Sie, Kollega,
5 und ich, das sind nach Adam Riese zwei Generationen, und
die Lausbuben in Ihrer Klasse sind auch eine Generation,
zusammen sind wir also nach Adam Riese* drei Generationen. Ich bin sechzig, Sie zirka dreißig und jene Lauser zirka
vierzehn. Paßt auf! Entscheidend für die Gesamthaltung
10 eines ganzen Lebens sind die Erlebnisse der Pubertät, insbesondere beim männlichen Geschlecht.«

»Langweilens mich nicht«, sagte ich.

»Auch wenn ich Sie langweil, hörens mir zu, sonst werd ich
wild! Also das oberste und einzigste Generalproblem der
15 Pubertät meiner Generation war das Weib, das heißt: das
Weib, das wir nicht bekamen. Denn damals war das noch
nicht so. Infolgedessen war unser markantestes Erlebnis
jener Tage ⌈die Selbstbefriedigung, samt allen ihren altmo-
dischen Folgeerscheinungen, nämlich mit der, wie sichs lei-
20 der erst später herausstellen sollte, völlig sinnlosen Angst
vor gesundheitsschädigenden Konsequenzen etcetera⌉. Mit
anderen Worten: wir stolperten über das Weib und schlitterten in den Weltkrieg hinein. Anläßlich nun Ihrer Pubertät, Kollega, war der Krieg gerade im schönsten Gange. Es
25 gab keine Männer und die Weiber wurden williger. Ihr
kamt gar nicht dazu, euch auf euch selbst zu besinnen, die
unterernährte Damenwelt stürzte sich auf ⌈euer Früh-
lingserwachen⌉. Für euere Generation war das Weib keine
Heilige mehr, drum wird es euresgleichen auch nie restlos
30 befriedigen, denn im tiefsten Winkel euerer Seelen sehnt ihr
euch nach dem Reinen, Hehren*, Unnahbaren – mit anderen Worten: nach der Selbstbefriedigung. In diesem Falle
stolperten die Weiber über euch Jünglinge und schlitterten
in die Vermännlichung hinein.«

35 »Kollega, Sie sind ein ⌈Erotomane⌉.«

A. R.
(1492–1559),
dt.
Rechenmeister,
verfasste die
ersten
methodischen
Anweisungen
zur
praktischen
Rechenkunst
in
Deutschland.

Erhabenen

»Wieso?« »Weil Sie die ganze Schöpfung aus einem ge-
schlechtlichen Winkel heraus betrachten. Das ist zwar ein
Kennzeichen Ihrer Generation, besonders in Ihrem Alter –
aber bleiben Sie doch nicht immer im Bett liegen! Stehen Sie
auf, ziehen Sie den Vorhang zur Seite, lassen Sie Licht her- 5
ein und blicken Sie mit mir hinaus!«
»Und was sehen wir draußen?«
»Nichts Schönes, jedoch trotzdem!«
»Mir scheint, Sie sind ein verkappter Romantiker! Ich bitt
Sie, unterbrechens mich nicht mehr! Setz dich! Wir kom- 10
men jetzt zur dritten Generation, nämlich zu den heute
Vierzehnjährigen: für die ist das Weib überhaupt kein Problem mehr, denn es gibt keine wahrhaften Frauen mehr, es
gibt nur lernende, rudernde, gymnastiktreibende, mar-
schierende Ungeheuer! Ist es Ihnen aufgefallen, daß die 15
Weiber immer reizloser werden?«
»Sie sind ein einseitiger Mensch!«

röm. Göttin
der Schönheit
und
(geschlechtl.)
Liebe

»Wer möchte sich für eine rucksacktragende Venus* begeistern? Ich nicht! Jaja, das Unglück der heutigen Jugend ist,
daß sie keine korrekte Pubertät mehr hat – erotisch, poli- 20
tisch, moralisch etcetera, alles wurde vermanscht, ver-
pantscht, alles in einen Topf! Und außerdem wurden zu
viele Niederlagen als Siege gefeiert, zu oft wurden die in-
nigsten Gefühle der Jugend in Anspruch genommen für

Schreckgespenst irgendeinen Popanz*, während sie es auf einer anderen Sei- 25
te wieder zu bequem hat: sie müssen ja nur das abschrei-
ben, was das Radio zusammenblödelt, und schon bekommen sie die besten Noten. Aber es gibt auch noch einzelne,

in Österreich
neusprachl.
Form der
höheren
Schule,
1938–45
abgeschafft

Gott sei Dank!«
»Was für einzelne?« 30
Er sah sich ängstlich um, neigte sich dicht zu mir und sagte
sehr leise: »Ich kenne eine Dame, deren Sohn geht ins Real-
gymnasium*. Robert heißt er und ist fünfzehn Jahre alt.
Neulich hat er so ein bestimmtes Buch gelesen, heimlich –

alle Normen
und Werte
verneinend

nein, kein erotisches, sondern ein nihilistisches*. Es hieß: 35

˻Über die Würde des menschlichen Lebens˼ und ist streng
verboten.«
Wir sahen uns an. Wir tranken.
»Sie glauben also, daß einzelne von denen heimlich le-
sen?«
»Ich weiß es. Bei jener Dame ist manchmal ein direktes
Kränzchen, sie ist oft schon ganz außer sich. Die Buben
lesen alles. Aber sie lesen nur, um spötteln zu können. Sie
leben in einem Paradies der Dummheit, und ihr Ideal ist der
Hohn. Es kommen kalte Zeiten, das Zeitalter der Fische.«
»Der Fische?«
»Ich bin zwar nur ein ˻Amateurastrolog˼, aber die Erde
dreht sich in das Zeichen der Fische hinein. Da wird die
Seele des Menschen unbeweglich wie das Antlitz eines Fisches.« – –
Das ist alles, was ich von der langen Debatte mit Julius
Caesar behielt. Ich weiß nur noch, daß er, während ich
sprach, öfters seinen Totenkopf illuminierte, um mich zu
irritieren. Aber ich ließ mich nicht, obwohl ich sinnlos betrunken war. –
Dann erwache ich in einem fremden Zimmer. Ich lieg in
einem anderen Bett. Es ist finster und ich höre wen ruhig
atmen. Es ist eine Frau – aha. Sie schläft. Bist du blond,
schwarz, braun, rot? Ich erinnere mich nicht. Wie siehst du
denn aus? Soll ich die Lampe andrehen? Nein. Schlaf nur
zu.
Vorsichtig stehe ich auf und trete ans Fenster.
Es ist noch Nacht. Ich sehe nichts. Keine Straße, kein Haus.
Alles nur Nebel. Und der Schein einer fernen Laterne fällt
auf den Nebel, und der Nebel sieht aus wie Wasser. Als
wäre mein Fenster unter dem Meer.
Ich schau nicht mehr hinaus.
Sonst schwimmen die Fische ans Fenster und schauen herein.

Als ich morgens nach Hause kam, erwartete mich bereits
meine Hausfrau. Sie war sehr aufgeregt. »Es ist ein Herr
da«, sagte sie, »er wartet auf Sie schon seit zwanzig Minuten, ich hab ihn in den Salon gesetzt. Wo waren Sie
denn?«

»Bei Bekannten. Sie wohnen auswärts, und ich habe den
letzten Zug verpaßt, drum blieb ich gleich draußen über
Nacht.«

Ich betrat den Salon.

Dort stand ein kleiner, bescheidener Mann neben dem Pia-
no. Er blätterte im Musikalbum, ich erkannte ihn nicht
sogleich. Er hatte entzündete Augen. Übernächtigt, ging es
mir durch den Sinn. Oder hat er geweint? »Ich bin der
Vater des W«, sagte er, »Herr Lehrer, Sie müssen mir helfen, es ist etwas Entsetzliches passiert! Mein Sohn wird
sterben!«

»Was?!«

»Ja, er hat sich doch so furchtbar erkältet, heut vor acht
Tagen beim Fußball im Stadion, und der Arzt meint, nur
ein Wunder könnte ihn retten, aber es gibt keine Wunder,
Herr Lehrer. Die Mutter weiß es noch gar nicht, ich wagte
es ihr noch nicht mitzuteilen – mein Sohn ist nur noch
manchmal bei Besinnung, Herr Lehrer, sonst hat er immer
nur seine Fieberphantasien, aber wenn er bei Besinnung ist,
verlangt er immer so sehr, jemanden zu sehen –«

»Mich?«

»Nein, nicht Sie, Herr Lehrer, er möchte den Tormann sehen, den Fußballer, der am letzten Sonntag so gut gespielt
haben soll, der ist sein ganzes Ideal! Und ich dachte, Sie
wüßten es vielleicht, wo ich diesen Tormann auftreiben
könnt, vielleicht wenn man ihn bittet, daß er kommt.«

»Ich weiß, wo er wohnt«, sagte ich, »und ich werde mit

ihm sprechen. Gehen Sie nur nach Hause, ich bring den Tormann mit!«

Er ging.

Ich zog mich rasch um und ging auch. Zum Tormann. Er wohnt in meiner Nähe. Ich kenne sein Sportgeschäft, das seine Schwester führt.

Da es Sonntag war, war es geschlossen. Aber der Tormann wohnt im selben Haus, im dritten Stock.

Er frühstückte gerade. Das Zimmer war voller Trophäen. Er war sofort bereit, mitzukommen. Er ließ sogar sein Frühstück stehen und lief vor mir die Treppen hinab. Er nahm uns ein Taxi und ließ mich nicht zahlen.

In der Haustür empfing uns der Vater. Er schien noch kleiner geworden zu sein. »Er ist nicht bei sich«, sagte er leise, »und der Arzt ist da, aber kommen Sie nur herein, meine Herren! Ich danke Ihnen vielmals, Herr Tormann!«

Das Zimmer war halbdunkel, und in der Ecke stand ein breites Bett. Dort lag er. Sein Kopf war hochrot, und es fiel mir ein, daß er der Kleinste der Klasse war. Seine Mutter war auch klein.

Der große Tormann blieb verlegen stehen. Also hier lag einer seiner ehrlichsten Bewunderer. Einer von den vielen tausend, die ihm zujubeln, die am meisten schreien, die seine Biographie kennen, die ihn um Autogramme bitten, die so gerne hinter seinem Tor sitzen und die er durch die Ordner immer wieder vertreiben läßt. Er setzte sich still neben das Bett und sah ihn an.

Die Mutter beugte sich über das Bett. »Heinrich«, sagte sie, »der Tormann ist da.«

»Fein«, lächelte er.

»Ich bin gekommen«, sagte der Tormann, »denn du wolltest mich sehen.«

»Wann spielt ihr gegen England?« frage der Junge.

»Das wissen die Götter«, meinte der Tormann, »sie streiten sich im Verband herum, und ⌈die oberste Sportbehörde⌉

funk dazwischen! Wir haben Terminschwierigkeiten – ich glaub, wir werden eher noch gegen Schottland spielen.«

»Gegen die Schotten gehts leichter –«

»Oho! Die Schotten schießen ungeheuer rasch und aus jeder Lage.«

»Erzähl, erzähl!«

Und der Tormann erzählte. Er sprach von berühmtgewordenen Siegen und unverdienten Niederlagen, von strengen Schiedsrichtern und korrupten Linienrichtern. Er stand auf, nahm zwei Stühle, markierte mit ihnen das Tor und demonstrierte, wie er einst zwei Elfer hintereinander abgewehrt hatte. Er zeigte seine Narbe auf der Stirne, die er sich in Lissabon bei einer tollkühnen Parade geholt hatte.

Und er sprach von fernen Ländern, in denen er sein Heiligtum* hütete, von Afrika, wo die Beduinen* mit dem Gewehr im Publikum sitzen, und von der schönen Insel Malta, wo das Spielfeld leider aus Stein besteht –

Und während der Tormann erzählte, schlief der kleine W ein. Mit einem seligen Lächeln, still und friedlich. – – –

Das Begräbnis fand an einem Mittwoch statt, nachmittags um halb zwei. Die Märzsonne schien, Ostern war nicht mehr weit.

Wir standen um das offene Grab. Der Sarg lag schon drunten.

Der Direktor war anwesend mit fast allen Kollegen, nur der Physiker fehlte, ein Sonderling. Der Pfarrer hielt die Grabrede, die Eltern und einige Verwandte verharrten regungslos. Und im Halbkreis uns gegenüber standen die Mitschüler des Verstorbenen, die ganze Klasse, alle fünfundzwanzig.

Neben dem Grab lagen die Blumen. Ein schöner Kranz trug auf einer gelb-grünen Schleife die Worte: »Letzte Grüße Dein Tormann.«

Und während der Pfarrer von der Blume sprach, die blüht und bricht*, entdeckte ich den N.

sein Tor
arab. Nomaden

nach Psalm 103,15–16

Er stand hinter dem L, H und F.

Ich beobachtete ihn. Nichts rührte sich in seinem Gesicht.

Jetzt sah er mich an.

5 Er ist dein Todfeind, fühlte ich. Er hält dich für einen Verderber. Wehe, wenn er älter wird! Dann wird er alles zerstören, selbst die Ruinen deiner Erinnerung.

Er wünscht dir, du lägest jetzt da drunten. Und er wird auch dein Grab vernichten, damit es niemand erfährt, daß
10 du gelebt hast.

Du darfst es dir nicht anmerken lassen, daß du weißt, was er denkt, ging es mir plötzlich durch den Sinn. Behalte sie für dich, deine bescheidenen Ideale, es werden auch nach einem N noch welche kommen, andere Generationen –
15 glaub nur ja nicht, Freund N, daß du meine Ideale überleben wirst! Mich vielleicht.

Und wie ich so dachte, spürte ich, daß mich außer dem N noch einer anstarrte. Es war der T.

Er lächelte leise, überlegen und spöttisch.

20 Hat er meine Gedanken erraten?

Er lächelte noch immer, seltsam starr.

Zwei helle runde Augen schauen mich an. Ohne Schimmer, ohne Glanz.

Ein Fisch?

25 ⌜*Der totale Krieg*⌝

Vor drei Jahren erließ ⌜die Aufsichtsbehörde⌝ eine Verordnung, durch welche sie die üblichen Osterferien in gewisser Hinsicht aufhob. Es erging nämlich die ⌜Weisung an alle Mittelschulen⌝, anschließend an das Osterfest die ⌜Zeltla-
30 ger⌝ zu beziehen. Unter »Zeltlager« verstand man eine vor-

militärische Ausbildung. Die Schüler mußten klassenweise
auf zehn Tage in die sogenannte freie Natur hinaus und
dort, wie die Soldaten, in Zelten kampieren, unter Aufsicht

Klassenlehrer

des Klassenvorstands*. Sie wurden von Unteroffizieren im
Ruhestand ausgebildet, mußten exerzieren, marschieren 5
und vom vierzehnten Lebensjahr ab auch schießen. Natürlich waren die Schüler begeistert dabei, und wir Lehrer
freuten uns auch, denn auch wir spielen gerne Indianer.
Am Osterdienstag konnten also die Bewohner ⌐eines abgelegenen Dorfes⌐ einen mächtigen Autobus anrollen sehen. 10
Der Chauffeur hupte, als käme die Feuerwehr, Gänse und
Hühner flohen entsetzt, die Hunde bellten und alles lief
zusammen. »Die Buben sind da! Die Buben aus der Stadt!«
Wir sind um acht Uhr früh vor unserem Gymnasium ab-
gefahren, und jetzt war es halb drei, als wir vor dem Ge- 15
meindeamte hielten.
Der Bürgermeister begrüßt uns, der Gendarmerieinspektor
salutiert. Der Lehrer des Dorfes ist natürlich am Platz, und
dort eilt auch schon der Pfarrer herbei, er hat sich verspä-
tet, ein runder freundlicher Herr. 20
Der Bürgermeister zeigt mir auf der Landkarte, wo sich
unser Zeltlager befindet. Eine gute Stunde weit, wenn man
gemütlich geht. »Der Feldwebel ist bereits dort«, sagt der

Soldaten,
Angehörige
einer für
kriegstechn.
Arbeiten an
der Front
(Brücken- u.
Wegebau)
ausgebildeten
Truppe

Inspektor, »zwei Pioniere* haben auf einem Pionierwagen
die Zeltbahnen hinaufgeschafft, schon in aller Herrgotts- 25
früh!«
Während die Jungen aussteigen und ihr Gepäck zusam-
menklauben, betrachte ich noch die Landkarte: das Dorf
liegt 761 Meter hoch über dem fernen Meere, wir sind
schon sehr in der Nähe der großen Berge, ⌐lauter Zweitau- 30
sender⌐. Aber hinter denen stehen erst die ganz hohen und
dunklen mit dem ewigen Schnee. »Was ist das?« frage ich
den Bürgermeister und deute auf einen Gebäudekomplex
auf der Karte, am westlichen Rande des Dorfes. »Das ist
unsere Fabrik«, sagt der Bürgermeister, »das größte Säge- 35

werk im Bezirk, aber leider wurde es voriges Jahr stillgelegt. Aus Rentabilitätsgründen« – fügt er noch hinzu und lächelt. »Jetzt haben wir viele Arbeitslose, es ist eine Not.«
Der Lehrer mischt sich ins Gespräch und setzt es mir auseinander, daß das Sägewerk einem Konzern gehört, und ich merke, daß er mit den Aktionären und Aufsichtsräten nicht sympathisiert. Ich auch nicht. Das Dorf sei arm, erklärt er mir weiter, die Hälfte lebe von Heimarbeit mit einem empörenden Schundlohn, ein Drittel der Kinder sei unterernährt –
»Jaja«, lächelt der Gendarmerieinspektor, »und das alles in der schönen Natur!«
Bevor wir zum Zeltlager aufbrechen, zieht mich noch der Pfarrer beiseite und spricht: »Hörens mal, verehrter Herr Lehrer, ich möchte Sie nur auf eine Kleinigkeit aufmerksam machen: anderthalb Stunden von Ihrem Lagerplatz befindet sich ein Schloß*, der Staat hats erworben, und jetzt sind dort Mädchen einquartiert, auch so ungefähr im Alter Ihrer Buben da. Und die Mädchen laufen auch den ganzen Tag und die halbe Nacht umher, passens ein bißchen auf, daß mir keine Klagen kommen« – er lächelt.
»Ich werde aufpassen.«
»Nichts für ungut«, meint er, »aber wenn man fünfunddreißig Jahre im Beichtstuhl verbracht hat, wird man skeptisch bei anderthalb Stund Entfernung.« Er lacht. »Kommens mal zu mir, Herr Lehrer, ich hab einen prima neuen Wein bekommen!«
Um drei Uhr marschieren wir ab. Zuerst durch eine Schlucht, dann rechts einen Hang empor. In Serpentinen*. Wir sehen ins Tal zurück. Es riecht nach Harz, der Wald ist lang. Endlich wird es lichter: vor uns liegt die Wiese, unser Platz. Wir kamen den Bergen immer näher.
Der Feldwebel und die beiden Pioniere sitzen auf Zeltbahnen und spielen Karten. Als sie uns kommen sehen, stehen sie rasch auf, und der Feldwebel stellt sich mir militärisch

vgl. Kommentar S. 161–162

in Schlangenlinien verlaufender Weg an Berghängen

vor. Ein ungefähr fünfzigjähriger Mann in der Reserve. Er
trägt eine einfache Brille, sicher kein unrechter Mensch.
Nun gehts an die Arbeit. Der Feldwebel und die Pioniere
zeigen den Jungen, wie man Zelte baut, auch ich baue mit.
In der Mitte des Lagers lassen wir ein Viereck frei, dort 5
hissen wir unsere Fahne. Nach drei Stunden steht die Stadt.
Die Pioniere salutieren und steigen ins Dorf hinab.
Neben der Fahnenstange liegt eine große Kiste: dort sind
die Gewehre drin. Die Schießscheiben werden aufgestellt:
hölzerne Soldaten in einer fremden Uniform. Der Abend 10
kommt, wir zünden Feuer an und kochen ab. Es schmeckt
uns gut und wir singen Soldatenlieder. Der Feldwebel
trinkt einen Schnaps und wird heiser. Jetzt weht der Berg-
wind.
»Der kommt von den Gletschern«, sagen die Jungen und 15
husten.
Ich denke an den toten W.
Ja, du warst der Kleinste der Klasse – und der Freundlich-
ste. Ich glaube, du wärest der einzige gewesen, der nichts
gegen die Neger geschrieben hätt. Drum mußtest du auch 20
weg. Wo bist du jetzt?
Hat dich ein Engel geholt, wie im Märchen?
Flog er mit dir dorthin, wo all die seligen Fußballer spielen?
Wo auch der Tormann ein Engel ist und vor allem der
Schiedsrichter, der abpfeift, wenn einer dem Ball nach- 25
fliegt? Denn das ist im Himmel das Abseits. Sitzt du gut?
Natürlich! Dort droben sitzt jeder auf der Tribüne, erste
Reihe, Mitte, während die bösen Ordner, die dich immer
hinter dem Tor vertrieben, jetzt hinter lauter Riesen stehen
und nicht aufs Spielfeld schauen können. – – 30
Es wird Nacht.
Wir gehen schlafen. »Morgen beginnt der Ernst!« meint
der Feldwebel.
Er schläft mit mir im selben Zelt.
Er schnarcht. 35

Ich entzünde noch mal meine Taschenlampe, um nach der Uhr zu sehen, und entdecke dabei auf der Zeltwand neben mir einen braunroten Fleck. Was ist das?

Und ich denke, morgen beginnt der Ernst. Ja, der Ernst. In einer Kiste neben der Fahnenstange liegt der Krieg. Ja, der Krieg.

Wir stehen im Feld.

Und ich denke an die beiden Pioniere, an den Feldwebel in der Reserve, der noch kommandieren muß, und an die hölzernen Soldaten, an denen man das Schießen lernt; der Direktor fällt mir ein, der N und sein Vater, der Herr Bäckermeister bei Philippi; und ich denke an das Sägewerk, das nicht mehr sägt, und an die Aktionäre, die trotzdem mehr verdienen, an den Gendarmen, der lächelt, an den Pfarrer, der trinkt, an die Neger, die nicht leben müssen, an die Heimarbeiter, die nicht leben können, an die Aufsichtsbehörde und an die unterernährten Kinder. Und an die Fische.

Wir stehen alle im Feld. Doch wo ist die Front?

Der Nachtwind weht, der Feldwebel schnarcht.

Was ist das für ein braunroter Fleck?

Blut?

⌜*Die marschierende Venus*⌝

Die Sonne kommt, wir stehen auf. Wir waschen uns im Bach und kochen Tee. Nach dem Frühstück läßt der Feldwebel die Jungen der Größe nach in zwei Reihen hintereinander antreten. Sie zählen ab, er teilt sie ein, in Züge und Gruppen. »Heut wird noch nicht geschossen«, sagt er, »heut wird erst ein bißchen exerziert!« Er kontrolliert scharf, ob die Reihen schnurgerad stehen. Das eine Auge kneift er zu: »Etwas vor, etwas zurück – besonders der dritte dort hinten, er steht ja einen Kilometer zu weit vorn!« Der dritte ist der Z. Wie schwer sich der einreihen läßt, wunder ich mich, und plötzlich hör ich die Stimme des N. Er fährt den Z an: »Hierher, Idiot!«

»Nanana!« meint der Feldwebel. »Nur nicht grob werden! Das war mal, daß man die Soldaten beschimpft hat, aber heut gibts keine Beleidigungen mehr, merk dir das, ja?!« Der N schweigt. Er wird rot und trifft mich mit einem flüchtigen Blick. Jetzt könnt er dich aber gleich erwürgen, fühle ich, denn er ist der Blamierte. Es freut mich, aber ich lächle nicht.

»Regiment marsch!« kommandiert der Feldwebel, und dann zieht es davon, das Regiment. Vorne die Großen, hinten die Kleinen. Bald sind sie im Wald verschwunden. Zwei blieben mit mir im Lager zurück, ein M und ein B. Sie schälen Kartoffeln und kochen die Suppe. Sie schälen mit stummer Begeisterung.

»Herr Lehrer!« ruft plötzlich der M. »Schauens mal, was dort anmarschiert kommt!« Ich schaue hin: in militärischer Ordnung marschieren etwa zwanzig Mädchen auf uns zu, sie tragen schwere Rucksäcke, und als sie näher kommen, hören wir, daß sie singen. Sie singen Soldatenlieder mit zirpendem Sopran. Der B lacht laut. Jetzt erblicken sie unser Zeltlager und halten. Die Führerin spricht auf die Mädchen ein und geht dann allein auf uns zu. Es sind zirka zweihundert Meter. Ich geh ihr entgegen.

Wir werden bekannt, sie ist Lehrerin in einer größeren Provinzstadt, und die Mädchen gehen in ihre Klasse. Jetzt wohnen sie in einem Schloß, es sind also dieselben, vor denen mich der Herr Pfarrer warnte.

Ich begleite meine Kollegin zurück, die Mädchen starren mich an, wie Kühe auf der Weide. Nein, der Herr Pfarrer braucht sich keine Sorgen zu machen, denn, alles was recht ist, einladend sehen diese Geschöpfe nicht aus!

Verschwitzt, verschmutzt und ungepflegt, bieten sie dem Betrachter keinen erfreulichen Anblick.

Die Lehrerin scheint meine Gedanken zu erraten, sie ist also wenigstens noch in puncto Gedankenlesen ein Weib, und setzt mir folgendes auseinander: »Wir berücksichtigen weder Flitter noch Tand, wir legen mehr Wert auf das Leistungsprinzip als auf das Darbietungsprinzip.«

Ich will mich mit ihr nicht über den Unwert der verschiedenen Prinzipien auseinandersetzen, sage nur: »Aha!« und denke mir, neben diesen armen Tieren ist ja selbst der N noch ein Mensch.

»Wir sind eben Amazonen*«, fährt die Lehrerin fort. Aber die Amazonen sind nur eine Sage, doch ihr seid leider Realität. Lauter mißleitete Töchter der Eva!

Julius Caesar fällt mir ein.

Er kann sich für keine rucksacktragende Venus begeistern. Ich auch nicht. –

Bevor sie weitermarschieren, erzählt mir die Lehrerin noch, die Mädchen würden heute vormittag den verschollenen Flieger suchen. Wieso, ist einer abgestürzt? Nein, ⌜das »Verschollenen-Flieger-suchen«⌝ sei nur ein neues wehrsportliches Spiel für die weibliche Jugend. Ein großer weißer Karton wird irgendwo im Unterholz versteckt, die Mädchen schwärmen in Schwarmlinie durch das Unterholz und suchen und suchen den Karton. »Es ist ⌜für den Fall eines Krieges⌝ gedacht«, fügt sie noch erläuternd hinzu, »damit wir gleich eingesetzt werden können, wenn einer abgestürzt ist. Im Hinterland natürlich, denn Weiber kommen ja leider nicht an die Front.«

Leider!

Dann ziehen sie weiter, in militärischer Ordnung. Ich seh ihnen nach: vom vielen Marschieren wurden die kurzen Beine immer kürzer. Und dicker.

Marschiert nur zu, Mütter der Zukunft!

Angehörige eines kriegerischen und männerfeindlichen Frauenvolks der griech. Sage

Der Himmel ist zart, die Erde blaß. Die Welt ist ein Aqua-
rell mit dem Titel: »April«.
Ich geh um das Lager herum und folge dann einem Feld-
weg. Was liegt dort hinter dem Hügel?   5
Der Weg macht eine große Krümmung, er weicht dem Unterholz aus. Die Luft ist still, wie die ewige Ruh. Nichts
brummt, nichts summt. Die meisten Käfer schlafen noch.
Hinter dem Hügel liegt in einer Mulde ein einsamer Bauernhof. Kein Mensch ist zu sehen. Auch der Hund scheint   10
fortgegangen zu sein. Ich will schon hinabsteigen, da halte
ich unwillkürlich, denn plötzlich erblicke ich hinter der
Hecke an der schmalen Straße, die am Hof vorbeiführt,
drei Gestalten. Es sind Kinder, die sich verstecken, zwei
Buben und ein Mädchen. Die Buben dürften dreizehn Jahre   15
alt sein, das Mädchen vielleicht zwei Jahre älter. Sie sind
barfuß. Was treiben sie dort, warum verstecken sie sich?
Ich warte. Jetzt erhebt sich der eine Bub und geht auf den
Hof zu, plötzlich schrickt er zusammen und verkriecht sich
rasch wieder hinter der Hecke. Ich höre einen Wagen ras-   20
seln. Ein Holzfuhrwerk mit schweren Pferden fährt langsam vorbei. Als es nicht mehr zu sehen ist, geht der Bub
wieder auf den Hof zu, er tritt an die Haustür und klopft.
Er muß mit einem Hammer geklopft haben, denke ich,
denn es dröhnte so laut. Er lauscht und die beiden anderen 25
auch. Das Mädel hat sich emporgereckt und schaut über
die Hecke. Sie ist groß und schlank, geht es mir durch den
Sinn. Jetzt klopft der Bub wieder, noch lauter. Da öffnet
sich die Haustür und eine alte Bäuerin erscheint, sie geht
gebückt auf einen Stock. Sie sieht sich um, als würde sie   30
schnuppern. Der Bub gibt keinen Ton von sich. Plötzlich
ruft die Alte: »Wer ist denn da?!« Warum ruft sie, wenn der
Bub vor ihr steht? Jetzt schreit sie wieder: »Wer ist denn

da?!« Sie geht mit dem Stock tastend an dem Buben vorbei,
sie scheint ihn nicht zu sehen – ist sie denn blind? Das
Mädel deutet auf die offene Haustür, es sieht aus, als wärs
ein Befehl, und der Bub schleicht auf Zehenspitzen ins
5 Haus hinein. Die Alte steht und lauscht. Ja, sie ist blind.
Jetzt klirrts im Haus, als wär ein Teller zerbrochen. Die
Blinde zuckt furchtbar zusammen und brüllt: »Hilfe! Hilfe!« – da stürzt das Mädel auf sie los und hält ihr den Mund
zu, der Bub erscheint in der Haustür mit einem Laib Brot
10 und einer Vase, das Mädel schlägt der Alten den Stock aus
der Hand – ich rase hinab. Die Blinde wankt, stolpert und
stürzt, die drei Kinder sind verschwunden.
Ich bemühe mich um die Alte, sie wimmert. Ein Bauer eilt
herbei, er hat das Geschrei gehört und hilft mir. Wir brin-
15 gen sie in das Haus, und ich erzähle dem Bauer, was ich
beobachtet habe. Er ist nicht sonderlich überrascht: »Jaja,
sie haben die Mutter herausgelockt, damit sie durch die
offene Tür hinein können, es ist immer dieselbe Bagage*,
man faßt sie nur nicht. Sie stehlen wie die Raben, eine gan-
20 ze Räuberbande!«
»Kinder?!«
»Ja«, nickt der Bauer, »auch drüben im Schloß, wo die
Mädchen liegen, haben sie schon gestohlen. Erst unlängst
die halbe Wäsch. Passens nur auf, daß sie Ihnen im Lager
25 keinen Besuch abstatten!«
»Nein – nein! Wir passen schon auf!«
»Denen trau ich alles zu. Es ist Unkraut und gehört vertilgt!«
Ich gehe ins Lager zurück. Die Blinde hat sich beruhigt und
30 war mir dankbar. Wofür? Ist es denn nicht selbstverstän-
lich, daß ich sie nicht auf dem Boden liegen ließ? Eine ver-
rohte Gesellschaft, diese Kinder!
Ich halte plötzlich, denn es wird mir ganz seltsam zumute.
Ich entrüste mich ja gar nicht über diesen Roheitsakt, ge-
35 schweige denn über das gestohlene Brot, ich verurteile nur.

> Gesindel

Warum bin ich nur nicht empört? Weil es arme Kinder sind, die nichts zum Fressen haben? Nein, das ist es nicht.

Der Weg macht eine große Krümmung, und ich schneide ihn ab. Das darf ich mir ruhig leisten, denn ich habe einen guten Orientierungssinn und werde das Zeltlager finden.

Ich gehe durch das Unterholz. Hier steht das Unkraut und gedeiht. Immer muß ich an das Mädel denken, wie es sich reckt und über die Hecke schaut. Ist sie der Räuberhauptmann? Ihre Augen möchte ich sehen. Nein, ich bin kein Heiliger!

Das Dickicht wird immer schlimmer.

Was liegt denn dort?

Ein weißer Karton. Darauf steht mit roten Buchstaben: »Flugzeug«. Ach, der verschollene Flieger! Sie haben ihn noch nicht gefunden.

Also hier bist du abgestürzt? War es ein Luftkampf oder ein Abwehrgeschütz? Bist du ein Bomber gewesen? Jetzt liegst du da, zerschmettert, verbrannt, verkohlt. Karton, Karton!

Oder lebst du noch? Bist schwer verwundet und sie finden dich nicht? Bist ein feindlicher oder ein eigener? Wofür stirbst du jetzt, verschollener Flieger? Karton, Karton!

Und da höre ich eine Stimme: »Niemand kann das ändern« – es ist die Stimme einer Frau. Traurig und warm.

Sie klingt aus dem Dickicht.

Vorsichtig biege ich die Äste zurück.

Dort sitzen zwei Mädchen vom Schloß. Mit den Beinen, kurz und dick. Die eine hält einen Kamm in der Hand, die andere weint.

»Was geht er mich denn an, der verschollene Flieger?« schluchzt sie. »Was soll ich denn da im Wald herumlaufen? Schau, wie meine Beine geschwollen sind, ich möcht nicht mehr marschieren! Von mir aus soll er draufgehen, der verschollene Flieger, ich möcht auch leben! Nein, ich will fort, Annie, fort! Nur nicht mehr im Schloß schlafen, das ist ja ein Zuchthaus! Ich möcht mich waschen und kämmen und bürsten!«

»Sei ruhig«, tröstet sie Annie und kämmt ihr liebevoll das fette Haar aus dem verweinten Gesicht. »Was sollen wir armen Mädchen tun? Auch die Lehrerin hat neulich heimlich geweint. Mama sagt immer, die Männer sind verrückt geworden und machen die Gesetze.«

Ich horche auf. Die Männer?

Jetzt küßt Annie ihre Freundin auf die Stirne, und ich schäme mich. Wie schnell war ich heut mit dem Spott dabei!

Ja, vielleicht hat Annies Mama recht. Die Männer sind verrückt geworden, und die nicht verrückt geworden sind, denen fehlt der Mut, die tobenden Irrsinnigen in die Zwangsjacken zu stecken.

Ja, sie hat recht.

Auch ich bin feig.

Geh heim!

Ich betrete das Lager. Die Kartoffeln sind geschält, die Suppe dampft. Das Regiment ist wieder zu Haus. Die Jungen sind munter, nur der Feldwebel klagt über Kopfschmerzen. Er hat sich etwas überanstrengt, doch will ers nicht zugeben. Plötzlich fragt er: »Für wie alt halten Sie mich, Herr Lehrer?« »Zirka fünfzig.« »Dreiundsechzig«, lächelt er geschmeichelt, »ich war sogar im Weltkrieg schon Landsturm*.« Ich fürchte, er beginnt, Kriegserlebnisse zu erzählen, aber ich fürchte mich umsonst. »Reden wir lieber nicht vom Krieg«, sagt er, »ich hab drei erwachsene Söhne.« Er betrachtet sinnend die Berge und schluckt das Aspirin. Ein Mensch.

Ich erzähl ihm von der Räuberbande. Er springt auf und

die älteren Jahrgänge der Wehrpflichtigen

läßt die Jungen sofort antreten. Er hält eine Ansprache an sein Regiment: in der Nacht würden Wachen aufgestellt werden, je vier Jungen für je zwei Stunden. Osten, Westen, Süden, Norden, denn das Lager müßte verteidigt werden, Gut mit Blut, bis zum letzten Mann! 5

Die Jungen schreien begeistert »Hurrah!«

»Komisch«, meint der Feldwebel, »jetzt hab ich keine Kopfschmerzen mehr.« – –

Nach dem Mittagessen steig ich ins Dorf hinab. Ich muß mit dem Bürgermeister verschiedene Fragen ordnen: einige 10 Formalitäten und die Nahrungsmittelzufuhr, denn ohne zu essen kann man nicht exerzieren.

Beim Bürgermeister treffe ich den Pfarrer, und er läßt nicht locker, ich muß zu ihm mit seinen neuen prima Wein probieren. Ich trinke gern, und der Pfarrer ist ein gemütlicher 15 Herr.

Wir gehen durchs Dorf, und die Bauern grüßen den Pfarrer. Er führt mich den kürzesten Weg ⌜zum Pfarrhaus⌝. Jetzt biegen wir in eine Seitenstraße. Hier hören die Bauern auf.

»Hier wohnen die Heimarbeiter«, sagt der Pfarrer und 20 blickt zum Himmel empor.

Die grauen Häuser stehen dicht beieinander. An den offenen Fenstern sitzen lauter Kinder mit weißen alten Gesichtern und bemalen bunte Puppen. Hinter ihnen ist es schwarz. »Sie sparen das Licht«, sagt der Pfarrer und fügt 25

aufgehetzt noch hinzu: »Sie grüßen mich nicht, sie sind verhetzt*.« Er beginnt plötzlich schneller zu gehen. Ich gehe gerne mit.

Die Kinder sehen mich groß an, seltsam starr. Nein, das sind keine Fische, das ist kein Hohn, das ist Haß. Und hinter dem Haß sitzt die Trauer in den finsteren Zimmern. Sie 30 sparen das Licht, denn sie haben kein Licht. ⌜Das Pfarrhaus liegt neben der Kirche. Die Kirche ist ein strenger Bau, das Pfarrhaus liegt gemächlich da. Um die Kirche herum liegt der Friedhof, um das Pfarrhaus herum ein Garten. Im Kirchturm läuten die Glocken, aus dem Rauchfang des 35

42

Pfarrhauses steigt blauer Dunst. Im Garten des Todes blühen die weißen Blumen, im Garten des Pfarrers wächst das Gemüse. Dort stehen Kreuze, hier steht ein Gartenzwerg. Und ein ruhendes Reh. Und ein Pilz.

5 Im Pfarrhaus drinnen ist Sauberkeit. Kein Stäubchen fliegt durch die Luft. Im Friedhof daneben wird alles zu Staub.⌐
Der Pfarrer führt mich in sein schönstes Zimmer. »Nehmen Sie Platz, ich hole den Wein!«
Er geht in den Keller, ich bleibe allein.

10 Ich setze mich nicht.
An der Wand hängt ein Bild.
Ich kenne es.
Es hängt auch bei meinen Eltern.
Sie sind sehr fromm.

15 Es war im Krieg, da habe ich Gott verlassen.* Es war zuviel verlangt von einem Kerl in den Flegeljahren, daß er begreift, ⌐daß Gott einen Weltkrieg zuläßt⌐.
Ich betrachte noch immer das Bild.
⌐Gott hängt am Kreuz.⌐ Er ist gestorben. Maria weint und

20 Johannes tröstet sie. Den schwarzen Himmel durchzuckt ein Blitz. Und rechts im Vordergrunde steht ein Krieger, in Helm und Panzer, der römische Hauptmann.
Und wie ich das Bild so betrachte, bekomme ich Sehnsucht nach meinem Vaterhaus.

25 Ich möchte wieder klein sein.
Aus dem Fenster schauen, wenn es stürmt.
Wenn die Wolken niedrig hängen, wenn es donnert, wenn es hagelt.
Wenn der Tag dunkel wird.

30 Und es fällt mir meine erste Liebe ein. Ich möcht sie nicht wiedersehen.
Geh heim!
Und es fällt mir die Bank ein, auf der ich saß und überlegte: was willst du werden? Lehrer oder Arzt?

35 Lieber als Arzt wollte ich Lehrer werden. Lieber als Kranke

*Umkehrung des Psalms 22,2: »Mein Gott, mein Gott, warum hast du mich verlassen?«

heilen, wollte ich Gesunden etwas mitgeben, einen winzigen Stein für den Bau einer schöneren Zukunft.
Die Wolken ziehen, jetzt kommt der Schnee.
Geh heim!
Heim, wo du geboren wurdest. Was suchst du noch auf der 5
Welt?
Mein Beruf freut mich nicht mehr.
Geh heim!

ursprünglich als Romantitel vorgesehen; vgl. Kommentar S. 151

Auf der Suche nach den Idealen der Menschheit*

Der Wein des Pfarrers schmeckt nach Sonne. Aber der Ku- 10
chen nach Weihrauch. Wir sitzen in der Ecke.
Er hat mir sein Haus gezeigt.
Seine Köchin ist fett. Sicher kocht sie gut.
»Ich esse nicht viel«, sagt plötzlich der Pfarrer.
Hat er meine Gedanken erraten? 15
»Ich trinke aber umsomehr«, sagte er und lacht.
Ich kann nicht recht lachen. Der Wein schmeckt und
schmeckt doch nicht. Ich rede und stocke, immer wieder
befangen. Warum nur?
»Ich weiß, was Sie beschäftigt«, meint der Pfarrer, »Sie 20
denken an die Kinder, die in den Fenstern sitzen und die
Puppen bemalen und mich nicht grüßen.«
Ja, an die Kinder denke ich auch.
»Es überrascht Sie, wie mir scheint, daß ich Ihre Gedanken
errate, aber das fällt mir nicht schwer, denn der Herr Leh- 25
rer hier im Dorfe sieht nämlich auch überall nur jene Kinder. Wir debattieren, wo wir uns treffen. Mit mir kann man
nämlich ruhig reden, ich gehöre nicht zu jenen Priestern,
die nicht hinhören oder böse werden, ich halte es mit ⌈dem
heiligen Ignatius⌉, der sagt: ⌈Ich gehe mit jedem Menschen⌉ 30

durch seine Tür hinein, um ihn bei meiner Tür hinauszu-
führen.«

Ich lächle ein wenig und schweige.

Er trinkt sein Glas aus.

5 Ich schau ihn abwartend an. Noch kenne ich mich nicht
aus.

»Die Ursache der Not«, fährt er fort, »besteht nicht darin,
daß mir der Wein schmeckt, sondern darin, daß das Sägewerk nicht mehr sägt. Unser Lehrer ist hier der Meinung,
10 daß wir durch die überhastete Entwicklung der Technik
andere Produktionsverhältnisse brauchen und eine ganz
neuartige Kontrolle des Besitzes. Er hat recht. Warum
schauen Sie mich so überrascht an?«

»Darf man offen reden?«

15 »Nur!«

»Ich denke, daß die Kirche immer auf der Seite der Reichen
steht.«

»Das stimmt. Weil sie muß.«

»Muß?«

20 » ⌈Kennen Sie einen Staat⌉, in dem nicht die Reichen regieren? ›Reichsein‹ ist doch nicht nur identisch mit ›Geldha-
ben‹ – und wenn es keine Sägewerksaktionäre mehr geben
wird, dann werden eben andere Reiche regieren, man
braucht keine Aktien, um reich zu sein. Es wird immer
25 Werte geben, von denen einige Leute mehr haben werden
als alle übrigen zusammen. Mehr Sterne am Kragen, mehr
Streifen am Ärmel, mehr Orden auf der Brust, sichtbar
oder unsichtbar, denn arm und reich wird es immer geben,
genau wie dumm und gescheit. Und der Kirche, Herr Leh-
30 rer, ist leider nicht die Macht gegeben, zu bestimmen, wie
ein Staat regiert werden soll. Es ist aber ihre Pflicht, immer
auf seiten des Staates zu stehen, der leider immer nur von
den Reichen regiert werden wird.«

»Ihre Pflicht?«

35 »Da der Mensch von Natur aus ein geselliges Wesen ist, ist

er auf eine Verbindung in Familie, Gemeinde und Staat angewiesen. Der Staat ist eine rein menschliche Einrichtung, die nur den einen Zweck haben soll, die irdische Glückseligkeit nach Möglichkeit herzustellen. Er ist naturnotwendig, also gottgewollt, der Gehorsam ihm gegenüber Gewissenspflicht.«

»Sie wollen doch nicht behaupten, daß zum Beispiel der heutige Staat nach Möglichkeit irdische Glückseligkeiten herstellt?«

»Das behaupte ich keineswegs, denn die ganze menschliche Gesellschaft ist aufgebaut auf Eigenliebe, Heuchelei und roher Gewalt. Wie sagt ⌜Pascal⌝? ›Wir begehren die Wahrheit und finden in uns nur Ungewißheit. Wir suchen das Glück und finden nur Elend und Tod*.‹ Sie wundern sich, daß ein einfacher Bauernpfarrer Pascal zitiert – nun, Sie müssen sich nicht wundern, denn ich bin kein einfacher Bauernpfarrer, ich wurde nur für einige Zeit hierher versetzt. Wie man so zu sagen pflegt, gewissermaßen strafversetzt*« – er lächelt: »Jaja, nur selten wird einer heilig, der niemals unheilig, nur selten einer weise, der nie dumm gewesen ist! Und ohne die kleinen Dummheiten des Lebens wären wir ja alle nicht auf der Welt.«

Er lacht leise, aber ich lache nicht mit.

Er leert wieder sein Glas.

Ich frage plötzlich: »Wenn also die staatliche Ordnung gottgewollt –«

»Falsch!« unterbricht er mich. »Nicht die staatliche Ordnung, sondern ⌜der Staat ist naturnotwendig⌝, also gottgewollt.«

»Das ist doch dasselbe!«

»Nein, das ist nicht dasselbe. Gott schuf die Natur, also ist gottgewollt, was naturnotwendig ist. Aber die Konsequenzen der Erschaffung der Natur, das heißt in diesem Falle: die Ordnung des Staates, ist ein Produkt des freien menschlichen Willens. Also ist nur der Staat gottgewollt, nicht aber die staatliche Ordnung.«

vgl. Pascal,
Pensées 437,
Fragment

vgl.
Kommentar
S. 163

»Und wenn ein Staat zerfällt?«

»Ein Staat zerfällt nie, es löst sich höchstens seine gesellschaftliche Struktur auf, um einer anderen Platz zu machen. Der Staat selbst bleibt immer bestehen, auch wenn
das Volk, das ihn bildet, stirbt. Denn dann kommt ein anderes.«

»Also ist der Zusammenbruch einer staatlichen Ordnung
nicht naturnotwendig?«

Er lächelt: »Manchmal ist so ein Zusammenbruch sogar
gottgewollt.«

»Warum nimmt also die Kirche, wenn die gesellschaftliche
Struktur eines Staates zusammenbricht, immer die Partei
der Reichen? Also in unserer Zeit: warum stellt sich die
Kirche immer auf die Seite der Sägewerksaktionäre und
nicht auf die Seite der Kinder in den Fenstern?«

»Weil die Reichen immer siegen.«

Ich kann mich nicht beherrschen: »Eine feine Moral!« Er
bleibt ganz ruhig: »Richtig zu denken, ist das Prinzip der
Moral.« Er leert wieder sein Glas. »Ja, die Reichen werden
immer siegen, weil sie die Brutaleren, Niederträchtigeren,
Gewissenloseren sind. Es steht doch schon in der Schrift,
daß eher ein Kamel durch das Nadelöhr geht, denn daß ein
Reicher in den Himmel kommt.*«

vgl. Matthäus 19,24 sowie Mk 10,25 und Lk 18,25

»Und die Kirche? Wird die durch das Nadelöhr kommen?«

»Nein«, sagt er und lächelt wieder, »das wäre allerdings
nicht gut möglich. Denn die Kirche ist ja das Nadelöhr.«

Dieser Pfaffe ist verteufelt gescheit, denke ich mir, aber er
hat nicht recht. Er hat nicht recht! Und ich sage: »Die Kirche dient also den Reichen und denkt nicht daran, für die
Armen zu kämpfen –«

»Sie kämpft auch für die Armen«, fällt er mir ins Wort,
»aber an einer anderen Front.«

»An einer himmlischen, was?«

»Auch dort kann man fallen.«

»Wer?«

»Jesus Christus.«

»Aber das war doch der Gott! Und was kam dann?« Er schenkt mir ein und blickt nachdenklich vor sich hin. »Es ist gut«, meint er leise, »daß es der Kirche heutzutag in vielen Ländern nicht gut geht. Gut für die Kirche.«

»Möglich«, antworte ich kurz und merke, daß ich aufgeregt bin. »Doch kommen wir wieder auf jene Kinder in den Fenstern zurück! Sie sagten, als wir durch die Gasse gingen: ›Sie grüßen mich nicht, sie sind verhetzt.‹ Sie sind doch ein gescheiter Mensch, Sie müssen es doch wissen, daß jene Kinder nicht verhetzt sind, sondern daß sie nichts zum Fressen haben!«

Er sieht mich groß an.

»Ich meinte, sie seien verhetzt«, sagte er langsam, »weil sie nicht mehr an Gott glauben.«

»Wie können Sie das von ihnen verlangen!«

»Gott geht durch alle Gassen.«

»Wie kann Gott durch jene Gasse gehen, die Kinder sehen und ihnen nicht helfen?«

Er schweigt. Er trinkt bedächtig seinen Wein aus. Dann sieht er mich wieder groß an: ⌐»Gott ist das Schrecklichste auf der Welt.«⌐

Ich starre ihn an. Hatte ich richtig gehört? Das Schrecklichste?!

Er erhebt sich, tritt an das Fenster und schaut auf den Friedhof hinaus. »Er straft«, höre ich seine Stimme.

Was ist das für ein erbärmlicher Gott, denke ich mir, der die armen Kinder straft!

Jetzt geht der Pfarrer auf und ab.

»Man darf Gott nicht vergessen«, sagt er, »auch wenn wir es nicht wissen, wofür er uns straft. Wenn wir nur niemals einen freien Willen gehabt hätten!«

»Ach, Sie meinen die Erbsünde!«

»Ja.«

»Ich glaube nicht daran.«

Er hält vor mir.

»Dann glauben Sie auch nicht an Gott.«

»Richtig. Ich glaube nicht an Gott.« – –

5 »Hören Sie«, breche ich plötzlich das Schweigen, denn nun muß ich reden, »ich unterrichte Geschichte und weiß es doch, daß es auch vor Christi Geburt eine Welt gegeben hat, die antike Welt, Hellas, eine Welt ohne Erbsünde –«

»Ich glaube, Ihr irrt Euch«, fällt er mir ins Wort und tritt an

10 sein Bücherregal. Er blättert in einem Buch. »Da Sie Geschichte unterrichten, muß ich Ihnen wohl nicht erzählen, wer der erste griechische Philosoph war, ich meine: der älteste.«

» ⌐Thales von Milet⌐.«

15 »Ja. Aber seine Gestalt ist noch halb in der Sage, wir wissen nichts Bestimmtes von ihm. Das erste schriftlich erhaltene Dokument der griechischen Philosophie, das wir kennen, stammt von ⌐Anaximander⌐, ebenfalls aus der Stadt Milet – geboren 610, gestorben 547 vor Christi Geburt. Es ist nur

20 ein Satz.«

Er geht ans Fenster, denn es beginnt bereits zu dämmern, und liest:

»Woraus die Dinge entstanden sind, darein müssen sie auch wieder vergehen nach dem Schicksal; denn sie müssen

25 Buße und Strafe zahlen für die Schuld ihres Daseins nach der Ordnung der Zeit.«

⌐Der römische Hauptmann⌐

Vier Tage sind wir nun im Lager. Gestern erklärte der Feldwebel den Jungen den Mechanismus des Gewehres, wie

30 man es pflegt und putzt. Heut putzen sie den ganzen Tag,

morgen werden sie schießen. Die hölzernen Soldaten warten bereits darauf, getroffen zu werden.

Die Jungen fühlen sich überaus wohl, der Feldwebel weniger. Er ist in diesen vier Tagen zehn Jahre älter geworden. In weiteren vier wird er älter aussehen, als er ist. Außerdem hat er sich den Fuß übertreten und wahrscheinlich eine Sehne verzerrt, denn er hinkt.

Doch er verbeißt seine Schmerzen. Nur mir erzählte er gestern vor dem Einschlafen, er würde schon ganz gerne wieder Kegel schieben, Karten spielen, in einem richtigen Bett liegen, eine stramme Kellnerin hinten hineinzwicken, kurz: zu Hause sein. Dann schlief er ein und schnarchte.

Er träumte, er wäre ein General und hätt eine Schlacht gewonnen. Der Kaiser hätt alle seine Orden ausgezogen und selbe ihm an die Brust geheftet. Und an den Rücken. Und die Kaiserin hätt ihm die Füß geküßt.

»Was hat das zu bedeuten?« fragte er mich in aller Früh.

»Wahrscheinlich ein Wunschtraum«, sagte ich. Er sagte, er hätte es sich noch nie in seinem Leben gewünscht, daß ihm eine Kaiserin die Füß küßt. »Ich werds mal meiner Frau schreiben«, meinte er nachdenklich, »die hat ein Traumbuch. Sie soll mal nachschauen, was General, Kaiser, Orden, Schlacht, Brust und Rücken bedeuten.«

Während er vor unserem Zelte schrieb, erschien aufgeregt ein Junge, und zwar der L.

»Was gibts?«

»Ich bin bestohlen worden!«

»Bestohlen?!«

»Man hat mir meinen Apparat gestohlen, Herr Lehrer, meinen photographischen Apparat!«

Er war ganz außer sich.

Der Feldwebel sah mich an. Was tun? lag in seinem Blick.

»Antreten lassen«, sagte ich, denn mir fiel auch nichts Besseres ein. Der Feldwebel nickte befriedigt, humpelte auf den freien Platz, wo die Fahne wehte, und brüllte wie ein alter Hirsch: »Regiment antreten!«

Der römische Hauptmann

Ich wandte mich an den L:

»Hast du einen Verdacht?«

»Nein.«

Das Regiment war angetreten. Ich verhörte sie, keiner
konnte etwas sagen. Ich ging mit dem Feldwebel in das
Zelt, wo der L. schlief. Sein Schlafsack lag gleich neben
dem Eingang links. Wir fanden nichts.

»Ich halte es für ausgeschlossen«, sagte ich zum Feldwebel,
»daß einer der Jungen der Dieb ist, denn sonst wären ja
auch mal im Schuljahr Diebstähle vorgekommen. Ich glaube eher, daß die aufgestellten Wachen nicht richtig ihre
Pflicht erfüllten, so daß die Räuberbande sich her-
einschleichen konnte.«

Der Feldwebel gab mir recht, und wir beschlossen, in der
folgenden Nacht die Wachen zu kontrollieren. Aber wie?
Ungefähr hundert Meter vom Lager entfernt stand ein
Heuschober*. Dort wollten wir übernachten und von dort
aus die Wachen kontrollieren. Der Feldwebel von neun bis
eins und ich von eins bis sechs.

Nach dem Nachtmahl schlichen wir uns heimlich aus dem
Lager. Keiner der Jungen bemerkte uns. Ich machte es mir
im Heu bequem. –

Um ein Uhr nachts weckt mich der Feldwebel.

»Bis jetzt ist alles in Ordnung«, meldet er mir. Ich klettere
aus dem Heu und postiere mich im Schatten der Hütte. Im
Schatten? Ja, denn es ist eine Vollmondnacht.

Eine herrliche Nacht.

Ich sehe das Lager und erkenne die Wachen. Jetzt werden
sie abgelöst.

Sie stehen oder gehen ein paar Schritte hin und her.

Osten, Westen, Norden, Süden – auf jeder Seite einer. Sie
bewachen ihre photographischen Apparate.

Und wie ich so sitze, fällt mir das Bild ein, das beim Pfarrer
hängt und auch bei meinen Eltern.

Die Stunden gehen.

> Scheune zum
> Aufbewahren
> von Heu

Ich unterrichte Geschichte und Geographie.

Ich muß die Gestalt der Erde erklären und ihre Geschichte deuten.

Die Erde ist noch rund, aber die Geschichten sind viereckig geworden. 5

Jetzt sitze ich da und darf nicht rauchen, denn ich überwache die Wache.

Es ist wahr: mein Beruf freut mich nicht mehr.

Warum fiel mir nur jenes Bild wieder ein?

Wegen des Gekreuzigten? Nein. 10

Wegen seiner Mutter – nein. Plötzlich wirds mir klar: wegen des Kriegers in Helm und Panzer, wegen des römischen Hauptmanns.

Was ist denn nur mit dem?

Er leitete die Hinrichtung eines Juden. Und als der Jude 15 starb, sagte er: »Wahrlich, so stirbt kein Mensch!«

Er hat also Gott erkannt.

Aber was tat er? Was zog er für Konsequenzen?

Er blieb ruhig unter dem Kreuze stehen.

⌈Ein Blitz durchzuckte die Nacht, der Vorhang im Tempel 20 riß, die Erde bebte – er blieb stehen.⌉

Er erkannte den neuen Gott, als der am Kreuze starb, und wußte nun, daß seine Welt zum Tode verurteilt war.

Und?

Ist er etwa in einem Krieg gefallen? Hat er es gewußt, daß er 25 für nichts fällt?

Freute ihn noch sein Beruf?

Oder ist er etwa alt geworden? Wurde er pensioniert?

Lebte er in Rom oder irgendwo an der Grenze, wo es billiger war? 30

Vielleicht hatte er dort ein Häuschen. Mit einem Gartenzwerg. Und am Morgen erzählte ihm seine Köchin, daß gestern jenseits der Grenze wieder neue Barbaren aufgetaucht sind. Die Lucia vom Herrn Major hat sie mit eigenen Augen gesehen. 35

Neue Barbaren, neue Völker.
Sie rüsten, sie rüsten. Sie warten.
Und der römische Hauptmann wußte es, die Barbaren*
werden alles zertrümmern. Aber es rührte ihn nicht. Für
5 ihn war bereits alles zertrümmert.
Er lebte still als Pensionist, er hatte es durchschaut.
Das große Römische Reich.

*Die Römer bezeichneten alle Völker außerhalb der griech.-röm. Kultur als Barbaren.

Der Dreck

Der Mond hängt nun direkt über den Zelten.
10 Es muß zirka zwei Uhr sein. Und ich denke, jetzt sind die
Cafés noch voll.
Was macht jetzt wohl Julius Caesar?
Er wird seinen Totenkopf illuminieren, bis ihn der Teufel
holt!
15 Komisch: ich glaube an den Teufel, aber nicht an den lieben
Gott.
Wirklich nicht?
Ich weiß es nicht. Doch, ich weiß es! Ich will nicht an ihn
glauben! Nein, ich will nicht!
20 Es ist mein freier Wille.
Und die einzige Freiheit, die mir verblieb: glauben oder
nicht glauben zu dürfen.
Aber offiziell natürlich so zu tun, als ob.
Je nachdem: einmal ja, einmal nein.
25 Was sagte der Pfaffe?
»Der Beruf des Priesters besteht darin, den Menschen auf
den Tod vorzubereiten, denn wenn der Mensch keine
Angst vor dem Sterben mehr hat, wird ihm das Leben leich-
ter.«
30 Satt wird er nicht davon!

»Aus diesem Leben des Elends und der Widersprüche«, sagte der Pfaffe, »rettet uns einzig und allein die göttliche Gnade und der Glaube an die ⌈Offenbarung⌉.« Ausreden!

»Wir werden gestraft und wissen nicht wofür.«

Frag die Regierenden!

Und was sagte der Pfaffe noch?

»Gott ist das Schrecklichste auf der Welt.«

Stimmt! – –

Lieblich waren die Gedanken, die mein Herz durchzogen. Sie kamen aus dem Kopf, kostümierten sich mit Gefühl, tanzten und berührten sich kaum.

Ein vornehmer Ball. Exklusive Kreise. Gesellschaft!

Im Mondlicht drehten sich die Paare.

Die Feigheit mit der Tugend, die Lüge mit der Gerechtigkeit, die Erbärmlichkeit mit der Kraft, die Tücke mit dem Mut.

Nur die Vernunft tanzte nicht mit.

Sie hatte sich besoffen, hatte nun einen Moralischen und schluchzte in einer Tour: »Ich bin blöd, ich bin blöd!« –

Sie spie alles voll.

Aber man tanzte darüber hinweg.

Ich lausche der Ballmusik.

Sie spielt einen Gassenhauer*, betitelt: »Der einzelne im Dreck.«

Sortiert nach Sprache, Rasse und Nation stehen die Haufen nebeneinander und fixieren sich, wer größer ist. Sie stinken, daß sich jeder einzelne die Nase zuhalten muß.

Lauter Dreck! Alles Dreck!

Düngt damit!

Dünget die Erde, damit etwas wächst! Nicht Blumen, sondern Brot!

Aber betet euch nicht an!

Nicht den Dreck, den ihr gefressen habt!

Fast vergaß ich meine Pflicht: vor einem Heuschober zu
sitzen, nicht rauchen zu dürfen und die Wache zu kontrollieren.

5   Ich blicke hinab: dort wachen sie.

Ost und West, Nord und Süd.

Alles in Ordnung.

Doch halt! Dort geht doch was vor sich –

Was denn?

10   Im Norden. Dort spricht doch der Posten mit jemand. Wer
ist denn der Posten?

Es ist der Z.

Mit wem spricht er denn?

Oder ists nur der Schatten einer Tanne?

15   Nein, das ist kein Schatten, das ist eine Gestalt.

Jetzt scheint der Mond auf sie: es ist ein Junge. Ein fremder
Junge.

Was ist dort los?

Der Fremde scheint ihm etwas zu geben, dann ist er ver-

20   schwunden.

Der Z rührt sich kurze Zeit nicht, ganz regungslos steht er
da.

Lauscht er?

Er sieht sich vorsichtig um und zieht dann einen Brief aus

25   der Tasche.

Ach, er hat einen Brief bekommen!

Er erbricht ihn rasch und liest ihn im Mondenschein.

Er steckt ihn gleich wieder ein.

Wer schreibt dem Z? – –

30   Der Morgen kommt, und der Feldwebel erkundigt sich, ob
ich etwas Verdächtiges wahrgenommen hätte. Ich sage, ich
hätte gar nichts wahrgenommen und die Wachen hätten
ihre Pflicht erfüllt.

Ich schweige von dem Brief, denn ich weiß es ja noch nicht, ob dieser Brief mit dem gestohlenen Photoapparat irgendwie zusammenhängt. Das muß sich noch klären und bis es nicht bewiesen wurde, will ich den Z in keinen Verdacht bringen.

Wenn man nur den Brief lesen könnte!

Als wir das Lager betreten, empfangen uns die Jungen erstaunt. Wann wir denn das Lager verlassen hätten?

»Mitten in der Nacht«, lügt der Feldwebel, »und zwar ganz aufrecht, aber von eueren Wachen hat uns keiner gehen sehen, ihr müßt schärfer aufpassen, denn bei einer solche miserablen Bewachung tragens uns ja noch das ganze Lager weg, die Gewehre, die Fahne und alles, wofür wir da sind!«

Dann läßt er sein Regiment antreten und fragt, ober einer etwas Verdächtiges wahrgenommen hätte.

Keiner meldet sich.

Ich beobachte den Z.

Er steht regungslos da.

Was steht nur in dem Brief?

Jetzt hat er ihn in der Tasche, aber ich werde ihn lesen, ich muß ihn lesen.

Soll ich ihn direkt fragen? Das hätte keinen Sinn. Er würde es glatt ableugnen, würde den Brief dann zerreißen, verbrennen und ich könnt ihn nimmer lesen.

Vielleicht hat er ihn sogar schon vernichtet.

Und wer war der fremde Junge? Eine Junge, der um zwei Uhr nachts erscheint, eine Stunde weit weg vom Dorf? Oder wohnt er auf dem Bauernhof bei der blinden Alten? Aber auch dann: immer klarer wird es mir, daß jener zur Räuberbande gehören muß. Zum Unkraut. Ist denn der Z auch Unkraut? Ein Verbrecher?

Ich muß den Brief lesen, muß, muß!

Der Brief wird allmählich zur fixen Idee. Bumm!

Heute schießen sie zum erstenmal.

Bumm! Bumm! – –

Am Nachmittag kommt der R zu mir.

»Herr Lehrer«, sagte er, »ich bitte sehr, ich möchte in einem anderen Zelt schlafen. Die beiden, mit denen ich zusammen bin, raufen sich in einem fort, man kann kaum schlafen!«

»Wer sind denn die beiden?«

»Der N und der Z.«

»Der Z?«

»Ja. Aber anfangen tut noch immer der N!«

»Schick mir mal die beiden her!«

Er geht, und der N kommt.

»Warum raufst du immer mit dem Z?«

»Weil er mich nicht schlafen läßt. Immer weckt er mich auf. Er zündet oft mitten in der Nacht die Kerze an.«

»Warum?«

»Weil er seinen Blödsinn schreibt.«

»Er schreibt?«

»Ja.«

»Was schreibt er denn? Briefe?«

»Nein. Er schreibt sein Tagebuch.«

»Tagebuch?«

»Ja. Er ist blöd.«

»Deshalb muß man noch nicht blöd sein.«

Es trifft mich ein vernichtender Blick.

»Das Tagebuchschreiben ist der typische Ausdruck der typischen Überschätzung des eigenen Ichs«, sagt er.

»Kann schon stimmen«, antworte ich vorsichtig, denn ich kann mich momentan nicht erinnern, ob das Radio diesen Blödsinn nicht schon mal verkündet hat.

»Der Z hat sich extra ein Kästchen mitgenommen, dort sperrt er sein Tagebuch ein.«

»Schick mir mal den Z her!«

Der N geht, der Z kommt.

»Warum raufst du immer mit dem N?«

⌜»Weil er ein Plebejer ist.«⌝
Ich stutze und muß an die reichen Plebejer denken.

»Ja«, sagt der Z, »er kann es nämlich nicht vertragen, daß
man über sich nachdenkt. Da wird er wild. Ich führe nämlich ein Tagebuch und das liegt in einem Kästchen, neulich 5
hat er es zertrümmern wollen, drum versteck ichs jetzt immer. Am Tag im Schlafsack, in der Nacht halt ichs in der
Hand.«

Ich sehe ihn an.

Und frage ihn langsam: »Und wo ist das Tagebuch, wenn 10
du auf Wache stehst?«

Nichts rührt sich in seinem Gesicht.

»Wieder im Schlafsack«, antwortet er.

»Und in dieses Buch schreibst du alles hinein, was du so
erlebst?« 15

»Ja.«

»Was du hörst, siehst? Alles?«

Er wird rot.

»Ja«, sagt er leise.

Soll ich ihn jetzt fragen, wer ihm den Brief schrieb und was 20
in dem Briefe steht? Nein. Denn es steht bei mir bereits fest,
daß ich das Tagebuch lesen werde.

Er geht, und ich schau ihm nach.

Er denkt über sich nach, hat er gesagt.

Ich werde seine Gedanken lesen. Das Tagebuch des Z. 25

Anspielung
auf die
biblischen
Figuren und
deren
»Versuchung
und Fall«
(1. Mose 3,1–7)

*Adam und Eva**

meist
unterirdische,
schuss- und
splittersichere
Räume im
Stellungskrieg

Kurz nach vier marschierte das Regiment wieder ab. Sogar
das »Küchenpersonal« mußte diesmal mit, denn der Feldwebel wollte es allen erklären, wie man sich in die Erde
gräbt und wo die Erde am geeignetsten für Schützengräben 30
und Unterstände* ist. Seit er humpelt, erklärt er lieber.

Es blieb also niemand im Lager, nur ich.

Sobald das Regiment im Walde verschwand, betrat ich das Zelt, in welchem der Z mit N und R schlief.

Im Zelte lagen drei Schlafsäcke. Auf dem linken lag ein

5 Brief. Nein, der war es nicht. »Herrn Otto N« stand auf dem Kuvert*, »Absender: Frau Elisabeth N« – ach, die Bäckermeistersgattin! Ich konnte nicht widerstehen, was schrieb wohl Mama ihrem Kindchen?   Briefumschlag

Sie schrieb: »Mein lieber Otto, danke Dir für Deine Post-

10 karte. Es freut mich und Vater sehr, daß Du Dich wohl fühlst. Nur so weiter, paß nur auf Deine Strümpfe auf, damit sie nicht wieder verwechselt werden! Also in zwei Tagen werdet Ihr schon schießen? Mein Gott, wie die Zeiten vergehen! Vater läßt Dir sagen, Du sollst bei Deinem

15 ersten Schusse an ihn denken, denn er war der beste Schütze seiner Kompanie. Denk Dir nur, Mandi ist gestern gestorben. Vorgestern hüpfte er noch so froh und munter in seinem Käfiglein herum und tirilierte uns zur Freud. Und heut war er hin. Ich weiß nicht, es grassiert eine Kana-

20 rikrankheit. Die Beinchen hat der Ärmste von sich gestreckt, ich hab ihn im Herdfeuer verbrannt. Gestern hatten wir einen herrlichen Rehrücken mit Preiselbeeren. Wir dachten an Dich. Hast Du auch gut zum Futtern? Vater läßt Dich herzlichst grüßen, Du sollst ihm nur immer weiter

25 Bericht erstatten, ob der Lehrer nicht wieder solche Äußerungen fallen läßt wie über die Neger. Laß nur nicht locker! Vater bricht ihm das Genick! Es grüßt und küßt Dich, mein lieber Otto, Deine liebe Mutti.«

Im Schlafsack nebenan war nichts versteckt. Hier schlief

30 also der R. Dann muß das Kästchen im dritten liegen. Dort lag es auch.

Es war ein Kästchen aus blauem Blech und hatte ein einfaches Schloß. Es war versperrt. Ich versuchte, das Schloß mit einem Draht zu öffnen.

35 Es ließ sich leicht.

In dem Kästchen lagen Briefe, Postkarten und ein grüngebundenes Buch – »Mein Tagebuch«, stand da in goldenen Lettern. Ich öffnete es. »Weihnachten von Deiner Mutter.« Wer war die Mutter des Z? Mir scheint, eine Beamtenwitwe oder so. 5

Dann kamen die ersten Eintragungen, etwas von einem Christbaum – ich blätterte weiter, wir sind schon nach Ostern. Zuerst hat er jeden Tag geschrieben, dann nur jeden zweiten, dritten, dann jeden fünften, sechsten – und hier, hier liegt der Brief! Er ist es! Ein zerknülltes Kuvert, 10 ohne Aufschrift, ohne Marke!

Rasch! Was steht nur drin?!

»Kann heute nicht kommen, komme morgen um zwei – Eva.«

Das war alles. 15

Wer ist Eva?

Ich weiß nur, wer Adam ist.

Adam ist der Z.

vgl. 5. Bild in der Vorarbeit *Der Lenz ist da!* (GA 7,100 ff.)

Und ich lese das Tagebuch[*]:

»Mittwoch. 20

Gestern sind wir ins Lager gekommen. Wir sind alle sehr froh. Jetzt ist es Abend, bin gestern nicht zum Schreiben dazugekommen, weil wir alle sehr müde waren vom Zeltbau. Wir haben auch eine Fahne. Der Feldwebel ist ein alter Tepp, er merkts nicht, wenn wir ihn auslachen. Wir laufen 25 schneller wie er. Den Lehrer sehen wir Gott sei Dank fast nie. Er kümmert sich auch nicht um uns. Immer geht er mit einem faden Gesicht herum. Der N ist auch ein Tepp. Jetzt schreit er schon das zweitemal, ich soll die Kerze auslöschen, aber ich tus nicht, weil ich sonst überhaupt zu kei- 30 nem Tagebuch mehr komme und ich möcht doch eine Erinnerung fürs Leben. Heute Nachmittag haben wir einen großen Marsch getan, bis an die Berge. Auf dem Wege dorthin sind wir bei Felsen vorübergekommen, in denen es viele Höhlen gibt. Auf einmal kommandiert der Feldwebel, wir 35 sollen durch das Dickicht in Schwarmlinie gegen einen markierten Feind vorgehen, der sich auf einem Höhenzug mit schweren Maschinengewehren verschanzt hat. Wir schwärmten aus, sehr weit voneinander, aber das Dichicht wurde immer dichter und plötzlich sah ich keinen mehr rechts und keinen mehr links. Ich hatte mich verirrt und war abgeschnitten. Auf einmal stand ich wieder vor einem Felsen mit einer Höhle, ich glaube, ich bin im Kreis herumgegangen. Plötzlich stand ein Mädchen vor mir. Sie war braunblond und hatte eine rosa Bluse und es wunderte mich, woher und wieso sie überhaupt daherkommt. Sie fragte mich, wer ich wäre. Ich sagte es ihr. Zwei Buben waren noch dabei, beide barfuß und zerrissen. Der eine trug einen Laib Brot in der Hand, der andere eine Vase. Sie sahen mich feindlich an. Das Mädchen sagte ihnen, sie mögen nach Hause gehen, sie möcht mir nur den Weg zeigen heraus aus dem Dickicht. Ich war darüber sehr froh und sie begleitete mich. Ich fragte sie, wo sie wohne, und sie sagte, hinter dem Felsen. Aber auf der militärischen Karte, die ich hatte, stand dort kein Haus und überhaupt nirgends in dieser Gegend. Die Karte ist falsch, sagte sie. So kamen wir an den Rand des Dickichts und ich konnte in weiter Ferne das Zeltlager sehen. Und da blieb sie stehen und sagte zu mir, sie müsse jetzt umkehren und sie würde mir einen Kuß geben, wenn ich es niemand auf der Welt sagen würde, daß ich sie hier traf. Warum? fragte ich. Weil sie es nicht haben möchte, sagte sie. Ich sagte, geht in Ordnung, und sie gab mir einen Kuß auf die Wange. Das gilt nicht, sagte ich, ein Kuß gilt nur auf den Mund. Sie gab mir einen Kuß auf den Mund. Dabei steckte sie mir die Zunge hinein. Ich sagte, sie ist eine Sau und was sie denn mit der Zunge mache? Da lachte sie und gab mir wieder so einen Kuß. Ich stieß sie von mir. Da hob sie einen Stein auf und warf ihn nach mir. Wenn der meinen Kopf getroffen hätte, wär ich jetzt hin. Ich sagte es ihr. Sie sagte, das würde ihr nichts ausmachen. Dann würdest du gehenkt, sagte ich. Sie sagte, das würde sie sowieso. Plötzlich wurde es mir unheimlich. Sie sagte, ich solle ganz in ihre Nähe kommen. Ich wollte nicht feig sein und kam. Da packte sie mich plötzlich und stieß mir noch einmal ihre Zunge in den Mund. Da wurde 5 ich wütend, packte einen Ast und schlug auf sie ein. Ich traf sie auf den Rücken und die Schultern, aber nicht auf den Kopf. Sie gab keinen Ton von sich und brach zusammen. Da lag sie. Ich erschrak sehr, denn ich dachte, sie wäre vielleicht tot. Ich trat zu ihr hin und berührte sie mit dem 10 Ast. Sie rührte sich nicht. Wenn sie tot ist, hab ich mir gedacht, laß ich sie da liegen und tue, als wär nichts passiert. Ich wollte schon weg, aber da bemerkte ich, daß sie simulierte. Sie blinzelte mir nämlich nach. Ich ging rasch wieder hin. Ja, sie war nicht tot. Ich hab nämlich schon 15 viele Tote gesehen, die sehen ganz anders aus. Schon mit sieben Jahren hab ich einen toten Polizisten und vier tote Arbeiter gesehen, es war nämlich ein Streik. Na wart, dachte ich, du willst mich da nur erschrecken, aber du springst schon auf – ich erfaßte vorsichtig unten ihren Rock und riß 20 in plötzlich hoch. Sie hatte keine Hosen an. Sie rührte sich aber noch immer nicht und mir wurde es ganz anders. Aber plötzlich sprang sie auf und riß mich wild zu sich herab. Ich kenne das schon. Wir liebten uns. Gleich daneben war ein riesiger Ameisenhaufen. Und dann versprach ich ihr, daß 25 ich es niemand sagen werde, daß ich sie getroffen hab. Sie ist weggelaufen und ich hab ganz vergessen zu fragen, wie sie heißt.

Donnerstag.

Wir haben Wachen aufgestellt wegen der Räuberbanden. 30 Der N schreit schon wieder, ich soll die Kerze auslöschen. Wenn er noch einmal schreit, dann hau ich ihm eine herunter. – Jetzt hab ich ihm eine heruntergehaut. Er hat nicht zurückgehaut. Der blöde R hat geschrien, als hätt er es bekommen, der Feigling! Ich ärger mich nur, daß ich mit 35

dem Mädel nichts ausgemacht hab. Ich hätte sie gerne wie-
dergesehen und mit ihr gesprochen. Ich fühlte sie heute
Vormittag unter mir, wie der Feldwebel ›Auf!‹ und ›Nieder!‹ kommandiert hat. Ich muß immer an sie denken. Nur
ihre Zunge mag ich nicht. Aber sie sagte, das sei Gewöh-
nung. Wie beim Autofahren das rasche Fahren. Was ist
doch das Liebesgefühl für ein Gefühl! Ich glaube, so ähnlich muß es sein, wenn man fliegt. Aber fliegen ist sicher
noch schöner. Ich weiß es nicht, ich möcht, daß sie jetzt
neben mir liegt. Wenn sie nur da wär, ich bin so allein. Von
mir aus soll sie mir auch die Zunge in den Mund stecken.
Freitag.
Übermorgen werden wir schießen, endlich! Heute Nachmittag hab ich mit dem N gerauft, ich bring ihn noch um.
Der R hat dabei was abbekommen, was stellt sich der Idiot
in den Weg! Aber das geht mich alles nichts mehr an, ich
denke nur immer an sie und heute noch stärker: Denn heute Nacht ist sie gekommen. Plötzlich, wie ich auf der Wache gestanden bin. Zuerst bin ich erschrocken, dann hab
ich mich riesig gefreut und hab mich geschämt, daß ich
erschrocken bin. Sie hats nicht bemerkt, Gott sei Dank! Sie
hat so wunderbar gerochen, nach einem Parfum. Ich fragte
sie, woher sie es her habe? Sie sagte, aus der Drogerie im
Dorf. Das muß teuer gewesen sein, sagte ich. Oh nein, sagte
sie, es kostete nichts. Dann umarmte sie mich wieder und
wir waren zusammen. Dabei fragte sie mich, was tun wir
jetzt? Ich sagte, wir lieben uns. Ob wir uns noch oft lieben
werden, fragte sie. Ja, sagte ich, noch sehr oft. Ob sie nicht
ein verdorbenes Mädchen wäre? Nein, wie könne sie sowas sagen! Weil sie mit mir in der Nacht herumliegt. Kein
Mädchen ist heilig, sagte ich. Plötzlich sah ich eine Träne
auf ihrer Wange, der Mond schien ihr ins Gesicht. Warum
weinst du? Und sie sagte, weil alles so finster ist. Was denn?
Und sie fragte mich, ob ich sie auch lieben würde, wenn sie
eine verlorene Seele wär? Was ist das? Und sie sagte mir, sie

junges
Mädchen, das
in eine Familie
als ›Tochter‹
aufgenommen
wird, um sich
hauswirtschaft-
lich und
gesellschaftlich
weiterzubilden
und im
Haushalt zu
helfen

hätte keine Eltern und wär mit zwölf Jahren eine Haus-
tochter* geworden, aber der Herr wär ihr immer nachge-
stiegen, sie hätte sich gewehrt und da hätte sie mal Geld
gestohlen, um weglaufen zu können, weil sie die Frau immer geohrfeigt hätt wegen des Herrn, und da wär sie in eine
Besserungsanstalt gekommen, aber von dort wär sie aus-
gebrochen und jetzt wohne sie in einer Höhle und würde
alles stehlen, was ihr begegnet. Vier Jungen aus dem Dorf,
die nicht mehr Puppen malen wollten, wären auch dabei,
sie wär aber die älteste und die Anführerin. Aber ich dürfe
es niemand sagen, daß sie so eine sei, denn dann käme sie
wieder in die Besserungsanstalt. Und sie tat mir furchtbar
leid und ich fühlte plötzlich, daß ich eine Seele habe. Und
ich sagte es ihr und sie sagte mir, ja, jetzt fühle sie es auch,
daß sie eine Seele habe. Ich dürfe sie aber nicht mißverstehen, wenn jetzt, während sie bei mir ist, im Lager etwas
gestohlen wird. Ich sagte, ich würde sie nie mißverstehen,
nur mir dürfe sie nichts stehlen, denn wir gehörten zusammen. Dann mußten wir uns trennen, denn nun wurde ich
bald abgelöst. Morgen treffen wir uns wieder. Ich weiß
jetzt, wie sie heißt. Eva.

Samstag.

Heute war große Aufregung, denn dem G wurde sein Pho-
to gestohlen. Schadet nichts! Sein Vater hat drei Fabriken
und die arme Eva muß in einer Höhle wohnen. Was wird
sie machen, wenn Winter ist? Der N schreit schon wieder
wegen dem Licht. Ich werd ihn noch erschlagen.

Ich kann die Nacht kaum erwarten bis sie kommt! Ich
möcht mit ihr in einem Zelt leben, aber ohne Lager, ganz
allein! Nur mit ihr! Das Lager freut mich nicht mehr. Es ist
alles nichts.

Oh Eva, ich werde immer für dich da sein! Du kommst in
keine Besserungsanstalt mehr, in keine mehr, das schwör
ich dir zu! Ich werde dich immer beschützen! Der N schreit,
er wird mein Kästchen zertrümmern, morgen, er soll es nur

wagen! Denn hier sind meine innersten Geheimnisse drinnen, die niemand was angehen. Jeder, der mein Kästchen anrührt, stirbt!«

Verurteilt

5 »Jeder, der mein Kästchen anrührt, stirbt!«
Ich lese den Satz zweimal und muß lächeln.
Kinderei!
Und ich will an das denken, was ich las, aber ich komme nicht dazu. Vom Waldrand her tönt die Trompete, ich muß
10 mich beeilen, das Regiment naht. Rasch tu ich das Tagebuch wieder ins Kästchen und will es versperren. Ich drehe den Draht hin und her. Umsonst! Es läßt sich nicht mehr schließen, ich hab das Schloß verdorben – was tun?
Sie werden gleich da sein, die Jungen. Ich verstecke das
15 offene Kästchen im Schlafsack und verlasse das Zelt. Es blieb mir nichts anderes übrig. Jetzt kommt das Regiment daher.
In der vierten Reihe marschiert der Z.
Du hast also ein Mädel und das nennt sich Eva. Und du
20 weißt es, daß deine Liebe stiehlt. Aber du schwörst trotzdem, sie immer zu beschützen.
Ich muß wieder lächeln. Kinderei, elende Kinderei!
Jetzt hält das Regiment und tritt ab.
Jetzt kenne ich deine »innersten Geheimnisse«, denke ich,
25 aber plötzlich kann ich nicht mehr lächeln. Denn ich sehe den Staatsanwalt. Er blättert in seinen Akten. Die Anklage lautet auf Diebstahl und Begünstigung. Nicht nur Eva, auch Adam hat sich zu verantworten. Man müßte den Z sofort verhaften.
30 Ich will es dem Feldwebel sagen und die Gendarmerie verständigen. Oder soll ich zuerst allein mit dem Z reden?

Nun steht er drüben bei den Kochtöpfen und erkundigt sich, was er zum Essen bekommen wird. Er wird von der Schule fliegen, und das Mädel kommt zurück in die Besserungsanstalt.

Beide werden eingesperrt. 5

Adieu Zukunft, lieber Z!

Es sind schon größere Herren über die Liebe gestolpert, über die Liebe, die auch naturnotwendig ist, und also ebenfalls gottgewollt.

Und ich höre wieder den Pfaffen: 10

»Das Schrecklichste auf der Welt ist Gott.«

Und ich höre einen wüsten Lärm, Geschrei und Gepolter.

Alles stürzt zu einem Zelt.

Es ist das Zelt mit dem Kästchen. Der Z und der N raufen, man kann sie kaum trennen. 15

Der N ist rot, er blutet aus dem Mund.

Der Z ist weiß.

»Der N hat sein Kästchen erbrochen!« ruft mir der Feldwebel zu.

»Nein!« schreit der N. »Ich habs nicht getan, ich nicht!« 20

»Wer den sonst?!« schreit der Z. »Sagen Sies selber, Herr Lehrer, wer könnt es denn sonst schon getan haben?!«

»Lüge, Lüge!«

»Er hat es erbrochen und sonst niemand! Er hats mir ja schon angedroht, daß er es mir zertrümmern wird!« 25

»Aber ich habs nicht getan!«

»Ruhe!« brüllt plötzlich der Feldwebel.

Es wird still.

Der Z läßt den N nicht aus den Augen.

Jeder, der sein Kästchen anrührt, stirbt, geht es mir plötz- 30
lich durch den Sinn. Unwillkürlich blick ich empor.

Aber der Himmel ist sanft.

Ich fühle, der Z könnte den N umbringen.

Auch der N scheint es zu spüren. Er wendet sich kleinlaut an mich. 35

»Herr Lehrer, ich möcht in einem anderen Zelt schlafen.«
»Gut.«
»Ich habs wirklich nicht gelesen, sein Tagebuch. Helfen Sie
mir, Herr Lehrer!«
5 »Ich werde dir helfen.«
Jetzt sieht mich der Z an. Du kannst nicht helfen, liegt in
seinem Blick.
Ich weiß, ich habe den N verurteilt.
Aber ich wollt es doch nur wissen, ob der Z mit den Räu-
10 bern ging, und ich wollt ihn doch nicht leichtfertig in einen
Verdacht bringen, drum hab ich das Kästchen erbrochen.
Warum sag ichs nur nicht, daß ich es bin, der das Tagebuch
las?
Nein, nicht jetzt! Nicht hier vor allen! Aber ich werde es
15 sagen. Sicher! Nur nicht vor allen, ich schäme mich! Allein
werd ichs ihm sagen. Von Mann zu Mann! Und ich will
auch mit dem Mädel reden, heut nacht, wenn er sie trifft.
Ich werde ihr sagen, sie soll sich nur ja nimmer blicken
lassen, und diesem dummen Z werde ich ordentlich seinen
20 Kopf waschen – dabei solls dann bleiben! Schluß!
Wie ein Raubvogel zieht die Schuld ihre Kreise. Sie packt
uns rasch.
Aber ich werde den N freisprechen.
Er hat ja auch nichts getan.
25 Und ich werde den Z begnadigen. Und auch das Mädel.
Ich lasse mich nicht unschuldig verurteilen!
Ja, Gott ist schrecklich, aber ich will ihm einen Strich durch
die Rechnung machen. Mit meinem freien Willen.
Einen dicken Strich.
30 Ich werde uns alle retten.
Und wie ich so überlege, fühle ich, daß mich wer anstarrt.
Es ist der T.
Zwei helle runde Augen schauen mich an. Ohne Schimmer,
ohne Glanz.
35 Der Fisch! durchzuckt es mich.

Er sieht mich noch immer an, genau wie damals beim Begräbnis des kleinen W.
Er lächelt leise, überlegen, spöttisch. Seltsam starr.
Weiß er, daß ich es bin, der das Kästchen erbrach?

⌐Der Mann im Mond⌐ 5

Der Tag wurd mir lang. Endlich sank die Sonne.
Der Abend kam und ich wartete auf die Nacht. Die Nacht kam und ich schlich mich aus dem Lager. Der Feldwebel schnarchte bereits, es hat mich keiner gesehen. Zwar hing noch der Vollmond über dem Lager, aber aus dem Westen 10 zogen die Wolken in finsteren Fetzen vorbei. Immer wieder wurde es stockdunkel und immer länger währte es, bis das silberne Licht wieder kam.
Dort, wo der Wald fast die Zelte berührt, dort wird er wachen, der Z. Dort saß ich nun hinter einem Baum. Ich sah 15 ihn genau, den Posten. Es war der G.
Er ging etwas auf und ab.
Droben rasten die Wolken, unten schien alles zu schlafen.
Droben tobte ein Orkan, unten rührte sich nichts.
Nur ab und zu knackte ein Ast. 20
Dann hielt der G und starrte in den Wald.
Ich sah ihm in die Augen, aber er konnte mich nicht sehen.
Hat er Angst?
Im Wald ist immer was los, besonders in der Nacht. 25
Die Zeit verging.
Jetzt kommt der Z.
Er grüßt den G und der geht.
Der Z bleibt allein.
Er sieht sich vorsichtig um und blickt dann zum Mond 30
empor.

Es gibt einen Mann im Mond, fällt es mir plötzlich ein, der sitzt auf der Sichel, raucht seine Pfeife und kümmert sich um nichts. Nur manchmal spuckt er auf uns herab. Vielleicht hat er recht.

5 Er wird schon wissen, was er tut. – –

Um zirka halb drei erschien endlich das Mädel, und zwar derart lautlos, daß ich sie erst bemerkte, als sie bereits bei ihm stand. Wo kam sie her?

Sie war einfach da.

10 Jetzt umarmt sie ihn und er umarmt sie.

Sie küssen sich.

Das Mädel steht mit dem Rücken zu mir und ich kann ihn nicht sehen. Sie muß größer sein als er –

Jetzt werde ich hingehen und mit den beiden sprechen. Ich
15 erhebe mich vorsichtig, damit sie mich nicht hören. Denn sonst läuft mir das Mädel weg.

Und ich will doch auch mit ihr reden.

Sie küssen sich noch immer.

Es ist Unkraut und gehört vertilgt, geht es mir plötzlich
20 durch den Sinn.

Ich sehe eine blinde Alte, die stolpert und stürzt.

Und immer muß ich an das Mädel denken, wie sie sich reckt und über die Hecke schaut.

Sie muß einen schönen Rücken haben.

25 Ihre Augen möchte ich sehen –

Da kommt eine Wolke und alles wird finster.

Sie ist nicht groß, die Wolke, denn sie hat einen silbernen Rand. Wie der Mond wieder scheint, gehe ich hin. Jetzt scheint er wieder, der Mond.

30 Das Mädel ist nackt.

Er kniet vor ihr.

Sie ist sehr weiß.

Ich warte.

Sie gefällt mir immer mehr.

35 Geh hin! Sag, daß du das Kästchen erbrochen hast! Du, nicht der N! Geh hin, geh!

Ich gehe nicht hin.

Jetzt sitzt er auf einem Baumstamm und sie sitzt auf seinen Knien.

Sie hat herrliche Beine.

Geh hin! 5

Ja, sofort –

Und es kommen neue Wolken, schwärzere, größere. Sie haben keine silbernen Ränder und decken die Erde zu. Der Himmel ist weg, ich sehe nichts mehr.

Ich lausche, aber es gehen nur Schritte durch den Wald. 10

Ich halte den Atem an.

Wer geht?

Oder ist es nur der Sturm von droben?

Ich kann mich selber nicht mehr sehen.

Wo seid ihr, Adam und Eva? 15

vgl. 1. Mose 3,19 Im Schweiße eueres Angesichtes* solltet ihr euer Brot verdienen, aber es fällt euch nicht ein. Eva stiehlt einen photographischen Apparat und Adam drückt beide Augen zu, statt zu wachen – –.

Ich werd es ihm morgen sagen, diesem Z, morgen in aller 20
Frühe, daß ich es war, der sein Kästchen erbrach. Morgen laß ich mich durch nichts mehr hindern!

Und wenn mir der liebe Gott tausend nackte Mädchen schickt! –

Immer stärker wird die Nacht. 25

Sie hält mich fest, finster und still.

Jetzt will ich zurück.

Vorsichtig taste ich vor –

Mit der vorgestreckten Hand berühre ich einen Baum. Ich weiche ihm aus. 30

Ich taste weiter – da, ich zucke entsetzt zurück!

Was war das?!

Mein Herz steht still.

Ich möchte rufen, laut, laut – aber ich beherrsche mich.

Was war das?! 35

Der Mann im Mond

Nein, das war kein Baum!
Mit der vorgestreckten Hand faßte ich in ein Gesicht.
Ich zittere.
Wer steht da vor mir?
5 Ich wage nicht mehr, weiterzugehen.
Wer ist das?!
Oder habe ich mich getäuscht?
Nein, ich hab es zu deutlich gefühlt: die Nase, die Lippen –
Ich setze mich auf die Erde.
10 Ist das Gesicht noch dort drüben?
Warte, bis das Licht kommt!
Rühre dich nicht! –
Über den Wolken raucht der Mann im Mond.
Es regnet leise.
15 Spuck mich nur an, Mann im Mond!

Der vorletzte Tag

Endlich wird es grau, der Morgen ist da.
Es ist niemand vor mir, kein Gesicht und nichts.
Ich schleiche mich wieder ins Lager zurück. Der Feldwebel
20 liegt auf dem Rücken mit offenem Mund. Der Regen klopft
an die Wand. Erst jetzt bin ich müde.
Schlafen, schlafen –
Als ich erwache, ist das Regiment bereits fort. Ich werde es
dem Z sagen, daß ich es war und nicht der N, sowie er
25 zurückkommt.
Es ist der vorletzte Tag.
Morgen brechen wir unsere Zelte ab und fahren in die
Stadt zurück.
Es regnet in Strömen, nur manchmal hört es auf. In den
30 Tälern liegen dicke Nebel. Wir sollten die Berge nimmer
sehen.

Mittags kommt das Regiment zurück, aber nicht komplett. Der N fehlt.

Er dürfte sich verlaufen haben, meint der Feldwebel, und er würde uns schon finden.

Ich muß an die Höhlen denken, die im Tagebuch des Z 5 stehen, und werde unsicher.

Ist es Angst?

Jetzt muß ichs ihm aber sogleich sagen, es wird allmählich Zeit!

Der Z sitzt in seinem Zelte und schreibt. Er ist allein. Als er 10 mich kommen sieht, klappt er rasch sein Tagebuch zu und blickt mich mißtrauisch an.

»Ach, wir schreiben wieder unser Tagebuch«, sage ich und versuche zu lächeln. Er schweigt und blickt mich nur an.

Da sehe ich, daß seine Hände zerkratzt sind. 15

Er bemerkt, daß ich die Kratzer beobachte, zuckt etwas zusammen und steckt die Hände in die Taschen.

»Frierts dich?« frage ich und lasse ihn nicht aus den Augen.

Er schweigt noch immer, nickt nur ja und ein spöttisches 20 Lächeln huscht über sein Gesicht.

»Hör mal«, beginne ich langsam, »du meinst, daß der N dein Kästchen erbrochen hat –«

»Ich meine es nicht nur«, fällt er mir plötzlich fest ins Wort, »sondern er hats auch getan.« 25

»Woher willst du denn das wissen?«

»Er selbst hat es mir gesagt.«

Ich starre ihn an. Er selbst hat es gesagt? Aber das ist doch unmöglich, er hat es doch gar nicht getan!

Der Z blickt mich forschend an, doch nur einen Augen- 30 blick lang. Dann fährt er fort: »Er hats mir heute vormittag gestanden, daß er das Kästchen geöffnet hat. Mit einem Draht, aber dann konnt er es nicht wieder schließen, denn er hatte das Schloß ruiniert.«

»Und?« 35

»Und er hat mich um Verzeihung gebeten und ich habe ihm
verziehen.«

»Verziehen?«

»Ja.«

5 Er blickt gleichgültig vor sich hin. Ich kenne mich nicht
mehr aus und es fällt mir ein: »Jeder, der mein Kästchen
anrührt, stirbt!«

»Weißt du, wo der N jetzt steckt?« frage ich plötzlich.

Er bleibt ganz ruhig.

10 »Woher soll ich das wissen? Sicher hat er sich verirrt. Ich
hab mich auch schon mal verirrt« – er erhebt sich und es
macht den Eindruck, als würde er nicht mehr weiterreden
wollen. Da bemerke ich, daß sein Rock* zerrissen ist.

Soll ich es ihm sagen, daß er lügt? Daß der N es ihm niemals
15 gestanden haben konnte, denn ich, ich habe doch sein Tagebuch gelesen –

Aber warum lügt der Z?

Nein, ich daraf gar nicht daran denken! –

Warum sagte ich es ihm nur nicht sofort, gleich gestern, als
20 er den N verprügelte! Weil ich mich schämte, vor meinen
Herren Schülern zu gestehen, daß ich heimlich mit einem
Draht ein Kästchen erbrochen hab, obwohl dies in bester
Absicht geschehen ist – verständlich, verständlich! Aber
warum verschlief ich nur heute früh?! Richtig, ich saß ja in
25 der Nacht im Wald und machte das Maul nicht auf! Und
jetzt, jetzt dürfte es wenig nützen, wenn ich es aufmachen
würde. Es ist zu spät.

Richtig, auch ich bin schuld.

Auch ich bin der Stein, über den er stolperte, die Grube, in
30 die er fiel, der Felsen, von dem er hinunterstürzte – Warum
hat mich heut früh nur niemand geweckt?!

Ich wollte mich nicht unschuldig verurteilen lassen und
schlief, statt mich zu verteidigen. Mit meinem freien Willen
wollte ich einen dicken Strich durch eine Rechnung ma-
35 chen, aber die Rechnung war bereits längst bezahlt.

als
Herrenbekleidung:
Jackett

Ich wollte uns alle retten, aber wir waren bereits ertrunken. In dem ewigen Meer der Schuld.

Doch wer ist denn schuld, daß das Schloß verdarb? Daß es sich nicht mehr zusperren ließ?

Egal ob offen oder zu, ich hätte es sagen müssen! 5

Die Pfade der Schuld berühren sich, kreuzen, verwickeln sich. Ein Labyrinth. Ein Irrgarten – mit Zerrspiegeln. Jahrmarkt, Jahrmarkt!

Hereinspaziert, meine Herrschaften!

Zahlt Buße und Strafe für die Schuld eueres Daseins! Nur 10
keine Angst, es ist zu spät! – –

Am Nachmittag zogen wir alle aus, um den N zu finden.

Wir durchsuchten das ganze Gebiet, riefen »N!« und wieder »N!«, aber es kam keine Antwort. Ich erwartete auch keine. 15

Es dämmerte bereits, als wir zurückkehrten. Durchnäßt, durchfroren. Die Suche verlief ergebnislos.

»Wenn das so weiterregnet«, flucht der Feldwebel, »gibts noch die schönste ⌐Sündflut!⌐«

Und es fiel mir wieder ein: als es aufhörte zu regnen und die 20
Wasser der Sündflut wichen, sprach der Herr: »Ich will hinfort nicht mehr die Erde bestrafen um der Menschen willen.«*

vgl. S.13.23–27

Und wieder frage ich mich: hat der Herr sein Versprechen gehalten? 25

Es regnet immer stärker.

»Wir müssens der Gendarmerie melden«, sagt der Feldwebel, »daß der N abgängig ist.«

»Morgen.«

»Ich versteh Sie nicht, Herr Lehrer, daß Sie so ruhig sind.« 30

»Ich denke, er wird sich verirrt haben, man verirrt sich ja leicht, und vielleicht übernachtet er auf irgendeinem Bauernhof.«

»In der Gegend dort gibts keine Höfe, nur Höhlen.« Ich horche auf. Das Wort versetzt mir wieder einen Schlag. 35

»Wollen es hoffen«, fährt der Feldwebel fort, »daß er in einer Höhle sitzt und daß er sich nichts gebrochen hat.«

Ja, wollen wir hoffen. –

Plötzlich frage ich den Feldwebel: »Warum haben Sie mich heut früh nicht geweckt?«

»Nicht geweckt?« Er lacht. »Ich hab Sie in einer Tour geweckt, aber Sie sind ja dagelegen, als hätt Sie der Teufel geholt!«

Richtig. Gott ist der Schrecklichste auf der Welt.

Der letzte Tag

Am letzten Tag unseres Lagerlebens kam Gott.

Ich erwartete ihn bereits.

Der Feldwebel und die Jungen zerlegten gerade die Zelte, als er kam.

Sein Erscheinen war furchtbar. Dem Feldwebel wurde es übel und er mußte sich setzen. Die Jungen standen entsetzt herum, halb gelähmt. Erst allmählich bewegten sie sich wieder, und zwar immer aufgeregter.

Nur der Z bewegte sich kaum.

Er starrte zu Boden und ging auf und ab. Doch nur ein paar Meter. Immer hin und her.

Dann schrie alles durcheinander, so schien es mir.

Nur der Z blieb stumm.

Was war geschehen?

Zwei Waldarbeiter waren im Lager erschienen, zwei Holzfäller mit Rucksack, Säge und Axt. Sie berichteten, daß sie einen Jungen gefunden hätten. Sie hatten seinen Schulausweis bei sich.

Es war der N.

Er lag in der Nähe der Höhlen, in einem Graben, unweit

der Lichtung. Mit einer klaffenden Kopfwunde. Ein Stein
mußte ihn getroffen haben oder ein Schlag mit irgendeinem
stumpfen Gegenstande.

Auf alle Fälle war er hin. Tot und tot.

Man hat ihn erschlagen, sagten die Waldarbeiter.   5

Ich stieg mit den Waldarbeitern ins Dorf hinab. Zur Gendarmerie. Wir liefen fast. Gott blieb zurück.

Die Gendarmen telephonierten mit dem Staatsanwalt in
der nächsten Stadt und ich telegraphierte meinem Direktor. Die Mordkommission erschien und begab sich an den   10
Ort der Tat.

Dort lag der N. im Graben.

Er lag auf dem Bauche.

Jetzt wurde er photographiert.

Die Herren suchten die nähere Umgebung ab. Peinlich ge-   15
nau. Sie suchten das Mordinstrument und irgendwelche
Spuren.

Sie fanden, daß der N nicht in jenem Graben erschlagen
wurde, sondern ungefähr zwanzig Meter entfernt davon.

Man sah deutlich die Spur, wie er in den Graben geschleift   20
worden war, damit ihn niemand finde.

Und sie fanden auch das Mordinstrument. Einen blutbe-
fleckten spitzigen Stein. Auch einen Bleistift fanden sie,
und einen Kompaß.

Der Arzt konstatierte, daß der Stein mit großer Wucht aus   25
nächster Nähe den Kopf des N getroffen haben mußte.

Und zwar meuchlings*, von rückwärts.

Befand sich der N auf der Flucht?

Der Untat mußte nämlich ein heftiger Kampf vorangegan-
gen sein, denn sein Rock war zerrissen. Und seine Hände   30
zerkratzt. –

Als die Mordkommission das Lager betrat, erblickte ich
sogleich den Z. Er saß etwas abseits. Auch sein Rock ist
zerrissen, ging es mir durch den Sinn, und auch seine Hände sind zerkratzt.   35

hinterhältig,
heimtückisch

Aber ich werde mich hüten, davon zu reden! Mein Rock hat zwar keinen Riß und meine Hände sind ohne Kratzer, aber trotzdem bin auch ich daran schuld! –

Die Herren verhörten uns. Wir wußten alle nichts über den Hergang des Verbrechens. Auch ich nicht. Und auch der Z nicht.

Als der Staatsanwalt mich fragte: »Haben Sie keinen Verdacht?« – da sah ich wieder Gott. Er trat aus dem Zelte, wo der Z schlief, und hatte das Tagebuch in der Hand.

Jetzt sprach er mit dem R und ließ den Z nicht aus den Augen.

Der kleine R schien Gott nicht zu sehen, nur zu hören.

Immer größer wurden seine Augen, als blickte er plötzlich in neues Land.

Da höre ich wieder den Staatsanwalt: »So reden Sie doch! Haben Sie keinen Verdacht?«

»Nein.«

»Herr Staatsanwalt«, schreit plötzlich der R und drängt sich vor, »der Z und der N haben sich immer gerauft! Der N hat nämlich das Tagebuch des Z gelesen und deshalb war ihm der Z todfeind – er führt nämlich ein Tagebuch, es liegt in einem Kästchen aus blauem Blech!«

Alle blicken auf den Z.

Der steht mit gesenktem Haupt. Man kann sein Gesicht nicht sehen. Ist es weiß oder rot? Langsam tritt er vor. Er hält vor dem Staatsanwalt.

Es wird sehr still.

»Ja«, sagt er leise, »ich habs getan.«

Er weint.

Ich werfe einen Blick auf Gott.

Er lächelt.

Warum?

Und wie ich mich so frage, sehe ich ihn nicht mehr. Er ist wieder fort.

Morgen beginnt der Prozeß.

Ich sitze auf der Terrasse eines Cafés und lese die Zeitungen. Der Abend ist kühl, denn es ist Herbst geworden.

Schon seit vielen Tagen berichten die Zeitungen über die kommende Sensation. Einzelne unter der Überschrift Mordprozeß Z, andere unter Mordprozeß N. Sie bringen Betrachtungen, Skizzen, graben alte Kriminalfälle mit Jugendlichen im Mittelpunkt aus, sprechen über die Jugend überhaupt und an sich, prophezeien und kommen vom Hundertsten ins Tausendste, finden aber dennoch immer irgendwie zurück zum Ermordeten N und seinem Mörder Z. Heute früh erschien ein Mitarbeiter bei mir und interviewte mich. Im Abendblatt muß es schon drinnen sein. Ich suche das Blatt. Er hat mich sogar photographiert.

Ja, das ist mein Bild! Hm, ich hätt mich kaum wiedererkannt. Eigentlich ganz nett. Und unter dem Bilde steht: »Was sagt der Lehrer?«

Nun, was sage ich?

»Einer unserer Mitarbeiter besuchte heute vormittag im städtischen Gymnasium jenen Lehrer, der seinerzeit im Frühjahr die oberste Aufsicht über jenes Zeltlager innehatte, allwo sich die verhängnisvolle Tragödie unter Jugendlichen abrollen sollte. Der Lehrer sagte, er stehe vor einem Rätsel, und zwar nach wie vor. Der Z sei immer ein aufgeweckter Schüler gewesen und ihm, dem Lehrer, wären niemals irgendwelche charakterlichen Anomalitäten*, geschweige denn Defekte oder verbrecherische Instinkte aufgefallen. Unser Mitarbeiter legte dem Lehrer die folgenschwere Frage vor, ob diese Untat ihre Wurzel etwa in einer gewissen Verrohung der Jugend hätte, was jedoch der Lehrer strikt bestritt. Die heutige Jugend, meinte er, sei keineswegs verroht, sie sei vielmehr, dank der allgemeinen

Abweichungen

Gesundung*, äußerst pflichtbewußt, aufopferungsfreudig und absolut national. Dieser Mord sei ein tiefbedauerlicher Einzelfall, ein Rückfall in schlimmste liberalistische Zeiten*. Jetzt läutet die Schulglocke, die Pause ist aus, und der
5 Lehrer empfiehlt sich. Er schreitet in die Klasse, um junge aufgeschlossene Seelen zu wertvollen Volksgenossen auszubilden. Gottlob ist der Fall Z nur ein Ausnahmefall, der ausnahmsweise Durchbruch eines verbrecherischen Individualismus!«

10 Hinter meinem Interview folgt eines mit dem Feldwebel. Auch sein Bild ist in der Zeitung, aber so hat er mal ausgesehen, vor dreißig Jahren. Ein eitler Knopf.

Nun, was sagt der Feldwebel?

»Unser Mitarbeiter besuchte auch den seinerzeitigen mili-
15 tärischen Ausbildungsleiter. Der militärische Ausbildungsleiter, kurz MA genannt, empfing unseren Mitarbeiter mit ausgesuchter Höflichkeit, doch in der strammen Haltung des alten, immer noch frischen Haudegens. Seiner Ansicht nach entspringt die Tat einem Mangel an Disziplin. Ein-
20 gehend äußerte er sich über den Zustand des Leichnams des Ermordeten, anläßlich dessen Auffindung. Er hatte den ganzen Weltkrieg mitgemacht, jedoch niemals eine derart grauenhafte Wunde gesehen. ›Als alter Soldat bin ich für den Frieden‹, schloß sein aufschlußreiches Gespräch.«

25 »Unser Mitarbeiter besuchte auch die Präsidentin des Verbandes gegen die Kinderverwahrlosung, die Frau Rauchfangkehrermeister K. Die Präsidentin bedauert den Fall aus tiefstem Inneren heraus. Sie kann schon seit Tagen nicht mehr schlafen, visionäre Träume quälen die verdienstvolle
30 Frau. Ihrer Meinung nach wäre es höchste Zeit, daß die maßgebenden Faktoren endlich bessere Besserungsanstalten bauten, angesichts der sozialen Not.«

Ich blättere weiter. Ach, wer ist denn das? Richtig, das ist ja der Bäckermeister N, der Vater des Toten! Und auch seine
35 Gattin ist abgebildet, Frau Elisabet N, geborene S.

NS-Jargon für: Besserung der allgemeinen Lage

gemeint ist das Präsidialsystem der Weimarer Republik

»Ihre Frage«, sagt der Bäckermeister zum Mitarbeiter, »will ich gerne beantworten. Das unbestechliche Gericht wird es herauszufinden haben, ob unser ärmster Otto nicht doch nur das Opfer eines sträflichen Leichtsinns der Aufsichtsstelle geworden ist, ich denke jetzt ausschließlich an den Lehrer und keineswegs an den MA. Justitia fundamentum regnorum.* Überhaupt müßte eine richtige Durchsiebung des Lehrpersonals erfolgen, es wimmelt noch vor lauter getarnten Staatsfeinden. Bei Philippi sehen wir uns wieder!«

dt.: Die Gerechtigkeit ist die Grundlage der Staaten; lat. Wahlspruch von Kaiser Franz I. von Österreich (1768–1835)

Und die Frau Bäckermeister meint: »Ottochen war meine Sonne. Jetzt hab ich halt nur mehr meinen Gatten. Aber Ottochen und ich, wir stehen immer in einem geistigen Kontakt. Ich bin in einem ⌐spiritistischen Zirkel⌐.«

Ich lese weiter.

In einer anderen Zeitung steht: »Die Mutter des Mörders wohnt in einer Dreizimmerwohnung. Sie ist die Witwe des Universitätsprofessors Z, der vor zirka zehn Jahren starb. Professor Z war ein angesehener Physiologe*. Seine Studien über die Reaktion der Nerven anläßlich von Amputationen erregten nicht nur in Fachkreisen Aufsehen. Vor zirka zwanzig Jahren bildete er einige Zeit hindurch das Hauptangriffsziel des Vereins gegen Vivisektion*. Frau Professor Z verweigert uns leider jede Aussage. Sie sagt nur: ›Meine Herren, können Sie es sich denn nicht denken, was ich durchzumachen habe?‹ Sie ist eine mittelgroße Dame. Sie trug Trauer.« Und in einer anderen Zeitung entdeckte ich den Verteidiger des Angeklagten. Er hat auch mit mir schon dreimal gesprochen und scheint Feuer und Flamme für den Fall zu sein. Ein junger Anwalt, der weiß, was für ihn auf dem Spiele steht.

Wissenschaftler, der sich mit den Lebensvorgängen und -äußerungen von Pflanzen, Tieren und speziell des Menschen auseinandersetzt

Eingriff am lebenden, meist narkotisierten Tier zur Ermittlung der Funktion innerer Organe

Alle Mitarbeiter blicken auf ihn.

Es ist ein langes Interview.

»In diesem sensationellen Mordprozeß, meine Herren«, beginnt der Verteidiger sein Interview, »befindet sich die

Verteidigung in einer prekären Situation. Sie hat nämlich ihre Klinge nicht nur gegen die Staatsanwaltschaft, sondern auch gegen den Angeklagten, den sie ja verteidigen muß, zu führen.«

5 »Wieso?«

»Der Angeklagte, meine Herren, bekennt sich eines Verbrechens wider die Person schuldig. Es ist Totschlag und nicht Mord, wie ich ganz besonders zu vermerken bitte. Aber trotz des Geständnisses des jugendlichen Angeklag-
10 ten bin ich felsenfest davon überzeugt, daß er nicht der Täter ist. Meiner Überzeugung nach deckt er jemanden.«

»Sie wollen doch nicht behaupten, Herr Doktor, daß jemand anderer die Tat beging?«

15 »Doch meine Herren, das will ich sogar sehr behaupten! Abgesehen davon, daß mir dies auch ein undefinierbares Gefühl sagt, gewissermaßen der Jagdinstinkt des Kriminalisten, habe ich auch bestimmte Gründe für meine Behauptung. Er war es nicht! Überlegen Sie sich doch mal die
20 Motive der Tat! Er erschlägt seinen Mitschüler, weil dieser sein Tagebuch las. Aber was stand denn in dem Tagebuch? Doch hauptsächlich die Affäre mit jenem verkommenen Mädchen. Er schützt das Mädchen und verkündet unüberlegt: ›Jeder, der mein Tagebuch anrührt, stirbt!‹ – gewiß,
25 gewiß! Es spricht alles gegen ihn und doch auch wieder nicht alles. Abgesehen davon, daß die ganze Art und Weise seines Geständnisses einer ritterlichen Haltung nicht ganz entbehrt, ist es denn nicht auffallend, daß er über den eigentlichen Totschlag nicht spricht? Kein Wörtchen über
30 den Hergang der Tat! Warum erzählt er sie uns nicht? Er sagt, er erinnere sich nicht mehr. Falsch! Er könnte sich nämlich gar nicht erinnern, denn er weiß es ja nicht, wie, wo und wann sein bedauernswerter Mitschüler erschlagen wurde. Er weiß nur, es geschah mit einem Stein. Man zeigt
35 ihm Steine, er kann sich nicht mehr erinnern. Meine Herren, er deckt die Tat eines anderen!«

»Aber der zerrissene Rock und die Kratzer an den Händen?«

»Gewiß, er hat den N auf einem Felsen getroffen und hat mit ihm gerauft, das erzählt er uns ja auch mit allen Einzelheiten. Aber daß er ihm dann nachgeschlichen ist und hinterrücks mit einem Stein – nein-nein! Den N erschlug ein anderer, oder vielmehr: eine andere!« »Sie meinen jenes Mädchen?«

»Jawohl, die meine ich! Sie beherrschte ihn, sie beherrscht ihn noch immer. Er ist ihr hörig. Meine Herren, wir werden auch die Psychiater vernehmen!«

»Ist das Mädchen als Zeugin geladen?«

»Natürlich! Sie wurde kurz nach dem Morde in einer Höhle verhaftet und ist bereits längst abgeurteilt, samt ihrer Bande. Wir werden Eva sehen und hören, vielleicht schon morgen.«

»Wie lange wird der Prozeß dauern?«

Ich rechne mit zwei bis drei Tagen. Es sind zwar nicht viele Zeugen geladen, aber, wie gesagt, ich werde mit dem Angeklagten scharf kämpfen müssen. Hart auf hart! Ich fechte es durch! Er wird wegen Diebstahlsbegünstigung verurteilt werden – das ist alles!«

Ja, das ist alles.

Von Gott spricht keiner.

Mordprozeß Z oder N

Vor dem Justizpalast standen dreihundert Menschen. Sie wollten alle hinein, doch das Tor war zu, denn die Einlaßkarten waren bereits seit Wochen vergeben. Meist durch Protektion*, aber nun wurde streng kontrolliert.

In den Korridoren kam man kaum durch.

Fürsprache,
Gönnerschaft

Alle wollten den Z sehen.

Besonders die Damenwelt.

Vernachlässigt und elegant, waren sie geil auf Katastrophen, von denen sie kein Kind bekommen konnten*.

übertr.: die für sie keine Folgen haben würden

5 Sie lagen mit dem Unglück anderer Leute im Bett und befriedigten sich mit einem künstlichen Mitleid.

Die Pressetribüne war überfüllt.

Als Zeugen waren u.a. geladen: die Eltern des N, die Mutter des Z, der Feldwebel, der R, der mit Z und N das Zelt

10 geteilt hatte, die beiden Waldarbeiter, die die Leiche des Ermordeten gefunden hatten, der Untersuchungsrichter, die Gendarmen, usw. usw.

Und natürlich auch ich.

Und natürlich auch Eva.

15 Aber die war noch nicht im Saal. Sie sollte erst vorgeführt werden.

Der Staatsanwalt und der Verteidiger blättern in den Akten.

Jetzt sitzt Eva in einer Einzelzelle und wartet, daß sie dran
20 kommt.

Der Angeklagte erscheint. Ein Wachmann begleitet ihn.

Er sieht aus, wie immer. Nur bleicher ist er geworden und mit den Augen zwinkert er. Es stört ihn das Licht. Sein Scheitel ist noch in Ordnung.

25 Er setzt sich auf die Angeklagtenbank, als wärs eine Schulbank.

Alle sehen ihn an.

Er blickt kurz hin und erblickt seine Mutter.

Er starrt sie an – was rührt sich in ihm?

30 Scheinbar nichts.

Seine Mutter schaut ihn kaum an.

Oder scheint es nur so?

Denn sie ist dicht verschleiert – schwarz und schwarz, kein Gesicht.

35 Der Feldwebel begrüßt mich und erkundigt sich, ob ich

sein Interview gelesen hätte. Ich sage »ja«, und der Bäk-
kermeister N horcht auf meine Stimme hin gehässig auf. Er
könnt mich wahrscheinlich erschlagen.
Mit einer altbackenen Semmel.

Schleier   5

Der Präsident des Jugendgerichtshofes betritt den Saal,
und alles erhebt sich. Er setzt sich und eröffnet die Ver-
handlung.
Ein freundlicher Großpapa.
Die Anklageschrift wird verlesen.   10
Z wird nicht des Totschlags, sondern des Mordes ange-
klagt, und zwar des meuchlerischen.
Der Großpapa nickt, als würde er sagen: »Oh, diese Kin-
der!«
Dann wendet er sich dem Angeklagten zu.   15
Z erhebt sich.
Er gibt seine Personalien an und ist nicht befangen.
Nun soll er in freier Rede sein Leben erzählen. Er wirft
einen scheuen Blick auf seine Mutter und wird befangen.
Es wäre so gewesen, wie bei allen Kindern, fängt er dann   20
leise an. Seine Eltern wären nicht besonders streng gewesen, wie eben alle Eltern. Sein Vater sei schon sehr bald
gestorben.
Er ist das einzige Kind.
Die Mutter führt ihr Taschentuch an die Augen, aber ober-   25
halb des Schleiers.
Ihr Sohn erzählt, was er werden wollte – ja, er wollte mal
ein großer Erfinder werden. Aber er wollte nur Kleinigkei-
ten erfinden, wie zum Beispiel: einen neuartigen Reißver-
schluß.   30

»Sehr vernünftig«, nickte der Präsident. »Aber wenn du nichts erfunden hättest?«

»Dann wäre ich Flieger geworden. Postflieger. Am liebsten nach Übersee.«

5 Zu den Negern? muß ich unwillkürlich denken.

Und wie der Z so von seiner ehemaligen Zukunft spricht, rückt die Zeit immer näher und näher – bald wird er da sein, der Tag, an dem der liebe Gott kam. Der Z schildert das Lagerleben, das Schießen, Marschieren, das Hissen der
10 Flagge, den Feldwebel und mich. Und er sagt einen sonderbaren Satz: »Die Ansichten des Herrn Lehrers waren mir oft zu jung.«

Der Präsident staunt.

»Wieso?«

15 »Weil der Herr Lehrer immer nur sagte, wie es auf der Welt sein sollte, und nie, wie es wirklich ist.«

Der Präsident sieht den Z groß an. Fühlt er, daß nun ein Gebiet betreten wurde, wo das Radio regiert? Wo die Sehnsucht nach der Moral zum alten Eisen geworfen wird, wäh-
20 rend man vor der Brutalität der Wirklichkeit im Staube liegt? Ja, er scheint es zu fühlen, denn er sucht nach einer günstigen Gelegenheit, um die Erde verlassen zu können. Plötzlich fragt er den Z: »Glaubst du an Gott?«

»Ja«, sagt der Z, ohne zu überlegen.

25 »Und kennst du das fünfte Gebot?«

»Ja.«

»Bereust du deine Tat?«

»Ja«, meint der Z, »ich bereue sie sehr.«

Sie klang aber unecht, die Reue.

30 Der Präsident schneuzte sich.

Das Verhör wandte sich dem Mordtag zu.

Die Einzelheiten, die bereits jeder kannte, wurden abermals durchgekaut.

»Wir sind sehr früh fortmarschiert«, erzählt der Z zum
35 hundertstenmal, »und sind dann bald in einer Schwarm-

linie durch das Dickicht gegen einen Höhenzug vorgerückt, der von dem markierten Feinde gehalten wurde. In der Nähe der Höhlen traf ich zufällig den N. Es war auf einem Felsen. Ich hatte eine riesige Wut auf den N, weil er mein Kästchen erbrochen hat. Er hat es zwar geleugnet –« 5

»Halt!« unterbricht ihn der Präsident. »Der Herr Lehrer hat es hier in den Akten vor dem Untersuchungsrichter zu Protokoll gegeben, daß du ihm gesagt hättest, der N hätte es dir gestanden, daß er das Kästchen erbrochen hat.«

»Das hab ich nur so gesagt.« 10

»Warum?«

»Damit kein Verdacht auf mich fällt, wenn es herauskommt.«

»Aha. Weiter!«

»Wir gerieten also ins Raufen, ich und der N, und er warf 15 mich fast den Felsen hinab – da wurde es mir rot vor den Augen, ich sprang wieder empor und warf ihm den Stein hinauf.«

»Auf dem Felsen?«

»Nein.« 20

»Sondern wo?«

»Das hab ich vergessen.«

Er lächelt.

Es ist nichts aus ihm herauszubekommen.

Er erinnert sich nicht mehr. 25

»Und wo setzt sie wieder ein, deine Erinnerung?«

»Ich ging ins Lager zurück und schrieb es in mein Tagebuch hinein, daß ich mit dem N gerauft habe.«

»Ja, das ist die letzte Eintragung, aber du hast den letzten Satz nicht zu Ende geschrieben.« 30

»Weil mich der Herr Lehrer gestört hat.«

»Was wollte er von dir?«

»Ich weiß es nicht.«

»Nun, er wird es uns schon erzählen.«

Auf dem Gerichtstisch liegt das Tagebuch, ein Bleistift und 35 ein Kompaß. Und ein Stein.

Der Präsident fragt den Z, ober er den Stein wiedererkenne?

Der Z nickt ja.

»Und wem gehört der Bleistift, der Kompaß?«

5 »Die gehören nicht mir.«

»Sie gehören dem unglücklichen N«, sagt der Präsident und blickt wieder in die Akten. »Doch nein! Nur der Bleistift gehört dem N! Warum sagst du es denn nicht, daß der Kompaß dir gehört?«

10 Der Z wird rot.

»Ich hab es vergessen«, entschuldigt er sich leise.

Da erhebt sich der Verteidiger: »Herr Präsident, vielleicht gehört der Kompaß wirklich nicht ihm.«

»Was wollen Sie damit sagen?«

15 »Damit will ich sagen, daß dieser fatale Kompaß, der dem N nicht gehört, vielleicht auch dem Z nicht gehört, sondern vielleicht einer dritten Person. Bitte mal den Angeklagten zu fragen, ob wirklich niemand dritter dabei war, als die Tat geschah.«

20 Er setzte sich wieder, und der Z wirft einen kurzen, feindseligen Blick auf ihn.

»Es war keinerlei dritte Person dabei«, sagt er fest.

Da springt der Verteidiger auf: »Wieso erinnert er sich so fest daran, daß keine dritte Person dabei war, wenn er sich

25 überhaupt nicht erinnern kann, wann, wie und wo die Tat verübt wurde?!«

Aber nun mischt sich auch der Staatsanwalt ins Gespräch. »Der Herr Verteidiger will anscheinend darauf hinaus«, meint er ironisch, »daß nicht der Angeklagte, sondern der

30 große Unbekannte den Mord vollführte. Jawohl, der große Unbekannte –«

»Ich weiß nicht«, unterbricht ihn der Verteidiger, »ob man ein verkommenes Mädchen, das eine Räuberbande organisierte, so ohne weiteres als eine große Unbekannte be-

35 zeichnen darf –«

»Das Mädel war es nicht«, fällt ihm der Staatsanwalt ins Wort, »sie wurde weiß Gott eingehend genug verhört, wir werden ja auch den Herrn Untersuchungsrichter als Zeugen hören – abgesehen davon, daß ja der Angeklagte die Tat glatt zugibt, er hat sie sogar sogleich zugegeben, was auch in gewisser Hinsicht für ihn spricht. Die Absicht der Verteidigung, die Dinge so hinzustellen, als hätte das Mädchen gemordet und als würde der Z sie nur decken, führt zu Hirngespinsten!« »Abwarten!« lächelt der Verteidiger und wendet sich an den Z: »Steht es nicht schon in deinem Tagebuch, sie nahm einen Stein und warf ihn nach mir – und wenn der mich getroffen hätte, dann wär ich jetzt hin?«

Der Z sieht ihn ruhig an. Dann macht er eine wegwerfende Geste.

»Ich hab übertrieben, es war nur ein kleiner Stein.«

Und plötzlich gibt er sich einen Ruck.

»Verteidigen Sie mich nicht mehr, Herr Doktor, ich möchte bestraft werden für das, was ich tat!«

»Und deine Mutter?« schreit ihn sein Verteidiger an.

»Denkst du denn gar nicht an deine Mutter, was die leidet?! Du weißt ja nicht, was du tust!«

Der Z steht da und senkt den Kopf.

Dann blickt er auf seine Mutter. Fast forschend.

Alle schauen sie an, aber sie können nichts sehen vor lauter Schleier.

In der Wohnung

Vor Einvernahme der Zeugen schaltet der Präsident eine Pause ein. Es ist Mittag. Der Saal leert sich allmählich, der Angeklagte wird abgeführt. Staatsanwalt und Verteidiger blicken sich siegesgewiß an.

Ich gehe in den Anlagen vor dem Justizpalast spazieren.

Es ist ein trüber Tag, naß und kalt.

Die Blätter fallen – ja, es ist wieder Herbst geworden. Ich biege um eine Ecke und halte fast.

5 Aber ich gehe gleich weiter.

Auf der Bank sitzt die Mutter des Z.

Sie rührt sich nicht.

Sie ist eine mittelgroße Dame, fällt es mir ein.

Unwillkürlich grüße ich. Sie dankt jedoch nicht.

10 Wahrscheinlich hat sie mich gar nicht gesehen.

Wahrscheinlich ist sie ganz anderswo – –

Die Zeit, in der ich an keinen Gott glaubte, ist vorbei. Heute glaube ich an ihn. Aber ich mag ihn nicht. Ich sehe ihn noch vor mir, wie er im Zeltlager mit dem kleinen R spricht

15 und den Z nicht aus den Augen läßt. Er muß stechende, tückische Augen haben – kalt, sehr kalt. Nein, er ist nicht gut.

Warum läßt er die Mutter des Z so sitzen? Was hat sie denn getan? Kann sie für das, was ihr Sohn verbrach? Warum

20 verurteilt er die Mutter, wenn er den Sohn verdammt? Nein, er ist nicht gerecht.

Ich will mir eine Zigarette anzünden.

Zu dumm, ich hab sie zu Hause vergessen!

Ich verlasse die Anlagen und suche ein Zigarettenge-

25 schäft.

In einer Seitenstraße finde ich eines.

Es ist ein kleines Geschäft und gehört einem uralten Ehepaar. Es dauert lang, bis der Alte die Schachtel öffnet und die Alte zehn Zigaretten zählt. Sie stehen sich gegenseitig

30 im Wege, sind aber freundlich zueinander. Die Alte gibt mir zu wenig heraus und ich mache sie lächelnd darauf aufmerksam. Sie erschrickt sehr. »Gott behüt!« meint sie, und ich denke, wenn dich Gott behütet, dann bist du ja wohl geborgen.

35 Sie hat kein Kleingeld und geht hinüber zum Metzger wechseln.

Ich bleib mit dem Alten zurück und zünde mir eine Zigarette an.

Er fragt, ob ich einer vom Gericht wär, denn bei ihm kauften hauptsächlich Herren vom Gericht. Und schon fängt er auch mit dem Mordprozeß an. Der Fall sei nämlich riesig interessant, denn da könnte man deutlich Gottes Hand darin beobachten.

Ich horche auf.

»Gottes Hand?«

»Ja«, sagt er, »denn in diesem Fall scheinen alle Beteiligten schuld zu sein. Auch die Zeugen, der Feldwebel, der Lehrer – und auch die Eltern.«

»Die Eltern?«

»Die Eltern?«

»Ja. Denn nicht nur die Jugend, auch die Eltern kümmern sich nicht mehr um Gott. Sie tun, als wär er gar nicht da.«

Ich blicke auf die Straße hinaus.

Die Alte verläßt die Metzgerei und geht nach rechts zum Bäcker. Aha, der Metzger konnte auch nicht wechseln.

Es ist niemand auf der Straße zu sehen, und plötzlich werde ich einen absonderlichen Gedanken nicht mehr los: es hat etwas zu bedeuten, denke ich, daß der Metzger nicht wechseln kann. Es hat etwas zu bedeuten, daß ich hier warten muß.

Ich sehe die hohen grauen Häuser und sage: »Wenn man nur wüßte, wo Gott wohnt.«

»Er wohnt überall, wo er nicht vergessen wurde«, höre ich die Stimme des Alten. »Er wohnt auch hier bei uns, denn wir streiten uns nie.«

Ich halte den Atem an.

Was war das?

War das noch die Stimme des Alten?

Nein, das war nicht seine – das war eine andere Stimme.

Wer sprach da zu mir?

Ich dreh mich nicht um.

Und wieder höre ich die Stimme:
»Wenn du als Zeuge aussagst und meinen Namen nennst,
dann verschweige es nicht, daß du das Kästchen erbrochen
hast.«
5   Nein! Da werd ich doch nur bestraft, weil ich den Dieb
nicht verhaften ließ!
»Das sollst du auch!«
Aber ich verliere auch meine Stellung, mein Brot –
»Du mußt es verlieren, damit kein neues Unrecht entsteht.«
10 Und meine Eltern?! Ich unterstütze sie ja!
»Soll ich dir deine Kindheit zeigen?«
Meine Kindheit?
Die Mutter keift, der Vater schimpft. Sie streiten sich immer. Nein, hier wohnst du nicht. Hier gehst du nur vorbei,
15 und dein Kommen bringt keine Freude –
Ich möchte weinen.
»Sage es«, höre ich die Stimme, »sage es, daß du das Käst-
chen erbrochen hast. Tu mir den Gefallen und kränke mich
nicht wieder.«

20 *Der Kompaß*

Der Prozeß schreitet fort.
Die Zeugen sind dran.
Der Waldarbeiter, die Gendarmen, der Untersuchungsrichter, der Feldwebel, sie habens schon hinter sich. Auch der
25 Bäckermeister N und seine Gattin Elisabeth sagten schon,
was sie wußten. Sie wußten alle nichts.
Der Bäckermeister brachte es nicht übers Herz, meine Ansicht über die Neger unerwähnt zu lassen. Er richtete heftige Vorwürfe gegen meine verdächtige Gesinnung, und der
30 Präsident sah ihn mißbilligend an, wagte es aber nicht, ihn
zu unterbrechen.

Jetzt wird die Mutter des Z aufgerufen.

Sie erhebt sich und tritt vor.

Der Präsident setzt es ihr auseinander, daß sie sich ihrer Zeugenaussage entschlagen* könnte, doch sie fällt ihm ins Wort, sie wolle aussagen.

Sie spricht, nimmt jedoch den Schleier nicht ab.

Sie hat ein unangenehmes Organ.

Der Z sei ein stilles, jedoch jähzorniges Kind, erzählt sie, und diesen Jähzorn hätte er von seinem Vater geerbt. Krank wäre er nie gewesen, nur so die gewöhnlichen harmlosen Kinderkrankheiten hätte er durchgemacht. Geistige Erkrankungen wären in der Familie auch nicht vorgekommen, weder väterlicher- noch mütterlicherseits.

Plötzlich unterbricht sie sich selber und fragt: »Herr Präsident, darf ich an meinen Sohn eine Frage richten?«

»Bitte!«

Sie tritt an den Gerichtstisch, nimmt den Kompaß in die Hand und wendet sich ihrem Sohne zu.

»Seit wann hast du denn einen Kompaß?« fragt sie und es klingt wie Hohn. »Du hast doch nie einen gehabt, wir haben uns ja noch gestritten vor deiner Abreise ins Lager, weil du sagtest, alle haben einen, nur ich nicht, und ich werde mich verirren ohne Kompaß – woher hast du ihn also?«

Der Z starrt sie an.

Sie wendet sich triumphierend an den Präsidenten: »Es ist nicht sein Kompaß und den Mord hat der begangen, der diesen Kompaß verloren hat!«

Der Saal murmelt und der Präsident fragt den Z: »Hörst du, was deine Mutter sagt?«

»Ja«, sagt er langsam. »Meine Mutter lügt.«

Der Verteidiger schnellt empor: »Ich beantrage, ein Fakultätsgutachten* über den Geisteszustand des Angeklagten einzuholen!«

Der Präsident meint, das Gericht würde sich später mit diesem Antrag befassen.

enthalten

ein Gutachten des medizinischen Fachbereichs der Universität

Die Mutter fixiert den Z: »Ich lüge, sagst du?«

»Ja.«

»Ich lüge nicht!« brüllt sie plötzlich los. »Nein, ich habe noch nie in meinem Leben gelogen, aber du hast immer gelogen, immer! Ich sage die Wahrheit und nur die Wahrheit, aber du willst doch nur dieses dreckige Weibsbild beschützen, dieses verkommene Luder!«

»Das ist kein Luder!«

»Halt den Mund!« kreischt die Mutter und wird immer hysterischer. »Du denkst eh immer nur an lauter solche elende Fetzen*, aber nie denkst du an deine arme Mutter!«

»Das Mädel ist mehr wert wie du!«

»Ruhe!« schreit der Präsident empört und verurteilt den Z wegen Zeugenbeleidigung zu zwei Tagen Haft. »Unerhört«, fährt er ihn an, »wie du deine eigene Mutter behandelst! Das läßt aber tief blicken!«

Jetzt verliert der Z seine Ruhe.

Der Jähzorn, den er von seinem Vater geerbt hat, bricht aus.

»Das ist doch keine Mutter!« schreit er. »Nie kümmert sie sich um mich, immer nur um ihre Dienstboten! Seit ich lebe, höre ich ihre ekelhafte Stimme, wie sie in der Küche die Mädchen beschimpft!«

»Er hat immer zu den Mädeln gehalten, Herr Präsident! Genau wie mein Mann!« Sie lacht kurz.

»Lach nicht Mutter!« herrscht sie der Sohn an. »Erinnerst du dich an die Thekla?!«

»An was für eine Thekla?!«

»Sie war fünfzehn Jahre alt, und du hast sie sekkiert*, wo du nur konntest! Bis elf Uhr nachts mußte sie bügeln und morgens um halb fünf schon aufstehen, und zu fressen hat sie auch nichts bekommen! Und dann ist sie weg – erinnerst du dich?«

»Ja, sie hat gestohlen!«

»Um fort zu können! Ich war damals sechs Jahre alt und

leichtes Mädchen, Prostituierte

schikaniert, gequält

weiß es noch genau, wie der Vater nach Haus gekommen ist und gesagt hat, das arme Mädel ist erwischt worden, sie kommt in die Besserungsanstalt! Und daran warst du schuld, nur du!«

»Ich?!«   5

»Vater hat es auch gesagt!«

»Vater, Vater! Der hat vieles gesagt!«

»Vater hat nie gelogen! Ihr habt euch damals entsetzlich gestritten und Vater schlief nicht zu Haus, erinnerst du dich? Und so ein Mädel wie die Thekla, so eines ist auch die   10
Eva – genauso! Nein, Mutter, ich mag dich nicht mehr!«

Es wurde sehr still im Saal.

Dann sagt der Präsident: »Ich danke, Frau Professor!«

Das Kästchen

Nun bin ich dran.   15

Es ist bereits dreiviertelfünf.

Ich werde als Zeuge vereidigt.

Ich schwöre bei Gott, nach bestem Gewissen die Wahrheit zu sagen und nichts zu verschweigen.

Jawohl, nichts zu verschweigen.   20

Während ich schwöre, wird der Saal unruhig.

Was gibts?

Ich dreh mich kurz um und erblicke Eva.

Sie setzt sich gerade auf die Zeugenbank, begleitet von einer Gefängnisbeamtin.   25

Ihre Augen wollt ich mal sehen, geht es mir durch den Sinn.

Ich werde sie mir anschauen, sowie ich alles gesagt haben werde.

Jetzt komme ich nicht dazu.

Ich muß ihr den Rücken zeigen, denn vor mir steht das   30
Kruzifix.

Sein Sohn.

Ich schiele nach dem Z.

Er lächelt.

Ob sie jetzt wohl auch lächelt – hinter meinem Rücken? Ich
beantworte die Fragen des Präsidenten. Er streift auch wieder die Neger – ja, wir verstehen uns. Ich stelle dem N ein
gutes Zeugnis aus und ebenso dem Z. Beim Mord war ich
nicht dabei. Der Präsident will mich schon entlassen, da
falle ich ihm ins Wort: »Nur noch eine Kleinigkeit, Herr
Präsident!«

»Bitte!«

»Jenes Kästchen, in welchem das Tagebuch des Z lag, erbrach nicht der N.«

»Nicht der N? Sondern?«

»Sondern ich. Ich war es, der das Kästchen mit einem
Draht öffnete.«

Die Wirkung dieser Worte war groß.

Der Präsident ließ den Bleistift fallen, der Verteidiger
schnellte empor, der Z glotzte mich an mit offenem Mun-
de, seine Mutter schrie auf, der Bäckermeister wurde
bleich, wie Teig, und griff sich ans Herz.

Und Eva?

Ich weiß es nicht.

Ich fühle nur eine allgemeine ängstliche Unruhe hinter mir.

Es murrt, es tuschelt.

Der Staatsanwalt erhebt sich hypnotisiert und deutet langsam mit dem Finger nach mir. »Sie?!« fragt er gedehnt.

»Ja«, sage ich und wundere mich über meine Ruhe. Ich
fühle mich wunderbar leicht.

Und erzähle nun alles.

Warum ich das Kästchen erbrach und weshalb ich es dem Z
nicht sogleich gestand. Weil ich mich nämlich schämte,
aber es war auch eine Feigheit dabei.

Ich erzähle alles.

Weshalb ich das Tagebuch las und warum ich keine gesetz-

lichen Konsequenzen zog, denn ich wollte einen Strich
durch eine Rechnung ziehen. Einen dicken Strich. Durch
eine andere Rechnung. Ja, ich war dumm! Ich bemerke,
daß der Staatsanwalt zu notieren beginnt, aber das stört
mich nicht.

Alles, alles!

Erzähl nur zu!

Auch Adam und Eva. Und die finsteren Wolken und den
Mann im Mond!

Als ich fertig bin, steht der Staatsanwalt auf.

»Ich mache den Herrn Zeugen darauf aufmerksam, daß er
sich über die Konsequenzen seiner interessanten Aussage
keinerlei Illusionen hingeben soll. Die Staatsanwaltschaft
behält es sich vor, Anklage wegen Irreführung der Behörden und Diebstahlsbegünstigung zu erheben.«

»Bitte«, verbeuge ich mich leicht, »ich habe geschworen,
nichts zu verschweigen.«

Da brüllt der Bäckermeister: »Er hat meinen Sohn am Gewissen, nur er!« Er bekommt einen Herzanfall und muß
hinausgeführt werden. Seine Gattin hebt drohend den
Arm: »Fürchten Sie sich«, ruft sie mir zu, »fürchten Sie sich
vor Gott.«

Nein, ich fürchte mich nicht mehr vor Gott.

Ich spüre den allgemeinen Abscheu um mich herum. Nur
zwei Augen verabscheuen mich nicht.

Sie ruhen auf mir.

Still, wie die dunklen Seen in den Wäldern meiner Heimat.

Eva, bist du schon der Herbst?

Das Kästchen

Vertrieben aus dem Paradies*

Anspielung auf 1. Mose 3,21–24

Eva wird nicht vereidigt.

»Kennst du das?« fragt sie der Präsident und hebt den Kompaß hoch.

5 »Ja«, sagt sie, »das zeigt die Richtung an.«

»Weißt du, wem der gehört?«

»Mir nicht, aber ich kann es mir denken.«

»Schwindel nur nicht!«

»Ich schwindle nicht. Ich möchte jetzt genauso die Wahr-
10 heit sagen wie der Herr Lehrer.«

Wie ich?

Der Staatsanwalt lächelt ironisch.

Der Verteidiger läßt sie nicht aus den Augen.

»Also los!« meint der Präsident.

15 Und Eva beginnt:

»Als ich den Z in der Nähe unserer Höhle traf, kam der N daher.«

»Du warst also dabei?«

»Ja.«

20 »Und warum sagst du das erst jetzt? Warum hast du denn die ganze Untersuchung über gelogen, daß du nicht dabei warst, wie der Z den N erschlug?!«

»Weil der Z nicht den N erschlug.«

»Nicht der Z?! Sondern?!«

25 Ungeheuer ist die Spannung. Alles im Saal beugt sich vor. Sie beugen sich über das Mädchen, aber das Mädchen wird nicht kleiner.

Der Z ist sehr blaß.

Und Eva erzählt: »Der Z und der N rauften fürchterlich,
30 der N war stärker und warf den Z über den Felsen hinab. Ich dachte, jetzt ist er hin und ich wurde sehr wild und ich dachte auch, er kennt ja das Tagebuch und weiß alles von mir – ich nahm einen Stein, diesen Stein da, und lief ihm

nach. Ich wollte ihm den Stein auf den Kopf schlagen, ja, ich wollte, aber plötzlich sprang ein fremder Junger aus dem Dickicht, entriß mir den Stein und eilte dem N nach. Ich sah, wie er ihn einholte und mit ihm redete. Es war bei einer Lichtung. Den Stein hielt er noch immer in der Hand. Ich versteckte mich, denn ich hatte Angst, daß die beiden zurückkommen. Aber sie kamen nicht, sie gingen eine andere Richtung, der N zwei Schritte voraus. Auf einmal hebt der Fremde den Stein und schlägt ihn von hinten dem N auf den Kopf. Der N fiel hin und rührte sich nicht. Der Fremde beugte sich über ihn und betrachtete ihn, dann schleifte er ihn fort. In einen Graben. Er wußte es nicht, daß ich alles beobachtete. Ich lief dann zum Felsen zurück und traf dort den Z. Er tat sich nichts durch den Sturz, nur sein Rock war zerrissen und seine Hände waren zerkratzt.« – –

Der Verteidiger findet als erster seine Sprache wieder:

»Ich stelle den Antrag, die Anklage gegen Z fallen zu lassen –«

»Moment, Herr Doktor«, unterbricht ihn der Präsident und wendet sich an den Z, der das Mädel immer noch entgeistert anstarrt.

»Ist das wahr, was sie sagte?«

»Ja«, nickt leise der Z.

»Hast du es denn auch gesehen, daß ein fremder Junge den N erschlug?«

»Nein, das habe ich nicht gesehen.«

»Na also!« atmet der Staatsanwalt erleichtert auf und lehnt sich befriedigt zurück.

»Er sah nur, daß ich den Stein erhob und dem N nachlief«, sagte Eva.

»Also warst du es, die ihn erschlug«, konstatiert der Verteidiger.

Aber das Mädchen bleibt ruhig.

»Ich war es nicht.«

Sie lächelt sogar.

»Wir kommen noch darauf zurück«, meint der Präsident. »Ich möchte jetzt nur hören, warum ihr das bis heute verschwiegen habt, wenn ihr unschuldig seid. Nun?«
Die beiden schweigen.

Dann beginnt wieder das Mädchen.

»Der Z hat es auf sich genommen, weil er gedacht hat, daß ich den N erschlagen hätt. Er hat es mir nicht glauben wollen, daß es ein anderer tat.«

»Und wir sollen es dir glauben?«

Jetzt lächelt sie wieder.

»Ich weiß es nicht, es ist aber so –«

»Und du hättest ruhig zugeschaut, daß er unschuldig verurteilt wird?«

»Ruhig nicht, ich hab ja genug geweint, aber ich hatte so Angst vor der Besserungsanstalt – und dann, dann hab ichs doch jetzt gesagt, daß er es nicht gewesen ist.«

»Warum erst jetzt?«

»Weil halt der Herr Lehrer auch die Wahrheit gesagt hat.«

»Sonderbar!« grinst der Staatsanwalt.

»Und wenn der Herr Lehrer nicht die Wahrheit gesagt hätte?« erkundigt sich der Präsident.

»Dann hätte auch ich geschwiegen.«

»Ich denke«, meint der Verteidiger sarkastisch, »du liebst den Z. Die wahre Liebe ist das allerdings nicht.«

Man lächelt.

Eva blickt den Verteidiger groß an.

»Nein«, sagt sie leise, »ich liebe ihn nicht.«

Der Z schnellt empor.

»Ich hab ihn auch nie geliebt«, sagt sie etwas lauter und senkt den Kopf.

Der Z setzt sich langsam wieder und betrachtet seine rechte Hand.

Er wollte sie beschützen, aber sie liebt ihn nicht.

Er wollte sich für sie verurteilen lassen, aber sie liebte ihn nie.

Es war nur so –
An was denkt jetzt der Z?
Denkt er an seine ehemalige Zukunft?
An den Erfinder, den Postflieger?
Es war alles nur so –   5
Bald wird er Eva hassen.

Der Fisch

»Nun«, fährt der Präsident fort, Eva zu verhören, »du hast
also den N mit diesem Steine hier verfolgt?«
»Ja.«   10
»Und du wolltest ihn erschlagen?«
»Aber ich tat es nicht!«
»Sondern?«
»Ich habs ja schon gesagt, es kam ein fremder Junge, der
stieß mich zu Boden und lief mit dem Stein dem N nach.«   15
»Wie sah denn dieser fremde Junge aus?«
»Es ging alles so rasch, ich weiß es nicht –«
»Ach, der große Unbekannte!« spöttelt der Staatsanwalt.
»Würdest du ihn wiedererkennen?« läßt der Präsident
nicht locker.   20
»Vielleicht. Ich erinner mich nur, er hatte helle, runde Au-
gen. Wie ein Fisch.«
Das Wort versetzt mir einen ungeheueren Hieb.
Ich springe auf und schreie: »Ein Fisch?!«
»Was ist Ihnen?« fragt der Präsident und wundert sich.   25
Alles staunt.
Ja, was ist mir denn nur?
Ich denke an einen illuminierten Totenkopf.
Es kommen kalte Zeiten, höre ich Julius Caesar, das Zeit-
alter der Fische. Da wird die Seele des Menschen unbeweg-   30
lich, wie das Antlitz eines Fisches.

Zwei helle, runde Augen sehen mich an. Ohne Schimmer, ohne Glanz.

Es ist der T.

Er steht an dem offenen Grabe.

5 Er steht auch im Zeltlager und lächelt leise, überlegen spöttisch.

Hat er es schon gewußt, daß ich das Kästchen erbrochen hab?

Hat auch er das Tagebuch gekannt?

10 Hat er spioniert?

Ist er dem Z nachgeschlichen und dem N?

Er lächelt seltsam starr.

Ich rühre mich nicht.

Und wieder fragt der Präsident: »Was ist Ihnen?«

15 Soll ich es sagen, daß ich an den T denke?

Unsinn!

Es fehlt doch jedes Motiv –

Und ich sage: »Verzeihung, Herr Präsident, aber ich bin etwas nervös.«

20 »Begreiflich!« grinst der Staatsanwalt.

Ich verlasse den Saal.

Ich weiß, sie werden den Z freisprechen und das Mädel verurteilen. Aber ich weiß auch, es wird sich alles ordnen. Morgen oder übermorgen wird die Untersuchung gegen

25 mich eingeleitet werden. Wegen Irreführung der Behörde und Diebstahlsbegünstigung.

Man wird mich vom Lehramt suspendieren*.

Ich verliere mein Brot.

Aber es schmerzt mich nicht.

30 Was werd ich fressen?

Komisch, ich hab keine Sorgen.

Die Bar fällt mir ein, in der ich Julius Caesar traf.

Sie ist nicht teuer.

Aber ich besaufe mich nicht.

35 Ich geh heim und leg mich nieder.

des Amtes
entheben,
entlassen

Ich hab keine Angst mehr vor meinem Zimmer.
Wohnt er jetzt auch bei mir?

Er beißt nicht an

Richtig, im Morgenblatt steht es bereits!
Der Z wurde nur wegen Irreführung der Behörden und
Diebstahlsbegünstigung unter Zubilligung mildernder
Umstände zu einer kleinen Freiheitsstrafe verurteilt, aber
gegen das Mädchen erhob der Staatsanwalt die Anklage
wegen Verbrechens des meuchlerischen Mordes.
Der neue Prozeß dürfte in drei Monaten stattfinden.
Das verkommene Geschöpf hat zwar hartnäckig ihre Unschuld beteuert, schreibt der Gerichtssaalberichterstatter,
aber es war wohl niemand zugegen, der ihrem Geschrei
irgendwelchen Glauben geschenkt hat. Wer einmal lügt,
lügt bekanntlich auch zweimal! Selbst der Angeklagte Z
reichte ihr am Ende der Verhandlung nicht mehr die Hand,
als sie sich von der Gefängnisbeamtin losriß, zu ihm hin-
stürzte und ihn um Verzeihung bat, daß sie ihn nie geliebt
hätte!
Aha, er haßt sie bereits!
Jetzt ist sie ganz allein.
Ob sie noch immer schreit?
Schrei nicht, ich glaube dir –
Warte nur, ich werde den Fisch fangen.
Aber wie?
Ich muß mit ihm sprechen, und zwar so bald wie möglich!
Mit der Morgenpost erhielt ich bereits ein Schreiben von
der Aufsichtsbehörde: ich darf das Gymnasium nicht mehr
betreten, solange die Untersuchung gegen mich läuft.

Ich weiß, ich werde es nie mehr betreten, denn man wird mich glatt verurteilen. Und zwar ohne Zubilligung mildernder Umstände.

Aber das geht mich jetzt nichts an!

5 Denn ich muß einen Fisch fangen, damit ich sie nicht mehr schreien höre.

Meine Hausfrau bringt das Frühstück und benimmt sich scheu. Sie hat meine Zeugenaussage in der Zeitung gelesen und der Wald rauscht. Die Mitarbeiter schreiben: »Der

10 Lehrer als Diebshelfer« – und einer schreibt sogar, ich wäre ein geistiger Mörder.

Keiner nimmt meine Partei.

Gute Zeiten für den Herrn Bäckermeister N, falls ihn heut nacht nicht der Teufel geholt hat! –

15 Mittags stehe ich in der Nähe des Gymnasiums, das ich nicht mehr betreten darf, und warte auf Schulschluß.

Endlich verlassen die Schüler das Haus.

Auch einige Kollegen.

Sie können mich nicht sehen.

20 Und jetzt kommt der T.

Er ist allein und biegt nach rechts ab.

Ich gehe ihm langsam entgegen.

Er erblickt mich und stutzt einen Augenblick.

Dann grüßt er und lächelt.

25 »Gut, daß ich dich treffe«, spreche ich ihn an, »denn ich hätte verschiedenes mit dir zu besprechen.«

»Bitte«, verbeugt er sich höflich.

»Doch hier auf der Straße ist zuviel Lärm, komm, gehen wir in eine Konditorei, ich lade dich ein auf ein Eis!«

30 »Oh, danke!«

Wir sitzen in der Konditorei.

Der Fisch bestellt sich Erdbeer und Zitrone.

Er löffelt das Eis.

Selbst wenn er frißt, lächelt er, stelle ich fest.

35 Und plötzlich überfalle ich ihn mit dem Satz: »Ich muß mit dir über den Mordprozeß sprechen.«

Er löffelt ruhig weiter.

»Schmeckts?«

»Ja.«

Wir schweigen.

»Sag mal«, beginne ich wieder, »glaubst du, daß das Mädel 5
den N erschlagen hat?«

»Ja.«

»Du glaubst es also nicht, daß es ein fremder Junge tat?«

»Nein. Das hat sie nur erfunden, um sich herauszulügen.«

Wir schweigen wieder. 10

Plötzlich löffelt er nicht mehr weiter und sieht mich mißtrauisch an: »Was wollen Sie eigentlich von mir, Herr Lehrer?«

»Ich dachte«, sage ich langsam und blicke in seine runden
Augen, »daß du es vielleicht ahnen wirst, wer jener fremde 15
Junge war.«

»Wieso?«

Ich wage es und lüge: »Weil ich es weiß, daß du immer
spionierst.«

»Ja«, sagt er ruhig, »ich habe verschiedenes beobachtet.« 20
Jetzt lächelt er wieder.

Wußte er es, daß ich das Kästchen erbrochen hab?

Und ich frage: »Hast du das Tagebuch gelesen?«

Er fixiert mich: »Nein. Aber ich habe Sie, Herr Lehrer,
beobachtet, wie Sie sich fortgeschlichen haben und dem Z 25
und dem Mädel zugeschaut haben –«

Es wird mir kalt.

Er beobachtet mich.

»Sie haben mir damals ins Gesicht gelangt, denn ich stand
hinter Ihnen. Sie sind furchtbar erschrocken, aber ich hab 30
keine Angst, Herr Lehrer.«

Er löffelt wieder ruhig sein Eis.

Und es fällt mir plötzlich auf, daß er sich an meiner Verwirrung gar nicht weidet. Er wirft nur manchmal einen
lauernden Blick auf mich, als würde er etwas registrieren. 35

Komisch, ich muß an einen Jäger denken.

An einen Jäger, der kühl zielt und erst dann schießt, wenn er sicher trifft.

Der keine Lust dabei empfindet.

5 Aber warum jagt er denn dann?

Warum, warum?

»Hast du dich eigentlich mit dem N vertragen?«

»Ja, wir standen sehr gut.«

Wie gerne möchte ich ihn nun fragen: und warum hast du

10 ihn denn dann erschlagen? Warum, warum?!

»Sie fragen mich, Herr Lehrer«, sagt er plötzlich, »als hätte ich den N erschlagen. Als wär ich der fremde Junge, wo Sie doch wissen, daß niemand weiß, wie der aussah, wenn es ihn überhaupt gegeben hat. Selbst das Mädel weiß ja nur,

15 daß er Fischaugen gehabt hat –«

Und du? denke ich.

»– und ich hab doch keine Fischaugen, sondern ich hab helle Rehaugen, meine Mama sagts auch und überhaupt alle. Warum lächeln Sie, Herr Lehrer? Viel eher, wie ich,

20 haben Sie Fischaugen –«

»Ich?!«

»Wissen Sie denn nicht, Herr Lehrer, was Sie in der Schule für einen Spitznamen haben? Haben Sie ihn nie gehört? Sie heißen der Fisch.«

25 Er nickt mir lächelnd zu.

»Ja, Herr Lehrer, weil Sie nämlich immer so ein unbewegliches Gesicht haben. Man weiß nie, was Sie denken und ob Sie sich überhaupt um einen kümmern. Wir sagen immer, der Herr Lehrer beobachtet nur, da könnt zum Beispiel

30 jemand auf der Straße überfahren worden sein, er würde nur beobachten, wie der Überfahrene daliegt, nur damit ers genau weiß, und er tät nichts dabei empfinden, auch wenn der draufging –«

Er stockt plötzlich, als hätte er sich verplappert, und wirft

35 einen erschrockenen Blick auf mich, aber nur den Bruchteil einer Sekunde lang.

Warum?
Aha, du hast den Haken schon im Maul gehabt, hast es dir
aber wieder überlegt.
Du wolltest schon anbeißen, da merktest du die Schnur.
Jetzt schwimmst du in dein Meer zurück.   5
Du hängst noch nicht, aber du hast dich verraten.
Warte nur, ich fange dich!
Er erhebt sich: »Ich muß jetzt heim, das Essen wartet, und
wenn ich zu spät komm, krieg ich einen Krach.« Er be-
dankt sich für das Eis und geht.   10
Ich sehe ihm nach und höre das Mädchen schreien.

Fahnen

Als ich am nächsten Tage erwache, wußte ich, daß ich viel
geträumt hatte. Ich wußte nur nicht mehr, was.
Es war ein Feiertag.   15
Man feierte den ⌐Geburtstag des Oberplebejers⌐.
Die Stadt hing voller Fahnen und Transparente.
Durch die Straßen marschierten die Mädchen, die den verschollenen Flieger suchen, die Jungen, die alle Neger sterben lassen, und die Eltern, die die Lügen glauben, die auf   20
den Transparenten stehen. Und die sie nicht glauben, marschieren ebenfalls mit. Divisionen* der Charakterlosen unter dem Kommando von Idioten. ⌐Im gleichen Schritt und
Tritt.⌐
Sie singen von einem Vögelchen, das auf einem Helden-   25
grabe zwitschert, von einem Soldaten, der im Gas erstickt,
von den schwarzbraunen Mädchen, die den zu Hause ge-
bliebenen Dreck fressen, und von einem Feinde, des es eigentlich gar nicht gibt.
So preisen die Schwachsinnigen und Lügner den Tag, an   30
dem der Oberplebejer geboren ward.

Truppen-
verbände

Und wie ich so denke, konstatierte ich mit einer gewissen
Befriedigung, daß auch aus meinem Fenster ⌐ein Fähnchen
flattert⌐.
Ich hab es bereits gestern abend hinausgehängt.

5 Wer mit Verbrechern und Narren zu tun hat, muß verbre-
cherisch und närrisch handeln, sonst hört er auf. Mit Haut
und Haar.
Er muß sein Heim beflaggen, auch wenn er kein Heim
mehr hat.

10 Wenn kein Charakter mehr geduldet wird, sondern nur der
Gehorsam, geht die Wahrheit, und die Lüge kommt.
Die Lüge, die Mutter aller Sünden.
Fahnen heraus!
Lieber Brot, als tot! –*

15 So dachte ich, als es mir plötzlich einfiel: was denkst du da?
Hast du es denn vergessen, daß du vom Lehramt suspendiert bist? Du hast doch keinen Meineid geschworen und
hast es gesagt, daß du das Kästchen erbrochen hast. Häng
nur deine Fahne hinaus, huldige dem Oberplebejer, krieche

20 im Staub vor dem Dreck und lüge, was du kannst – es bleibt
dabei! Du hast dein Brot verloren!
Vergiß es nicht, daß du mit einem höheren Herrn gesprochen hast!
Du lebst noch im selben Haus, aber in einem höheren

25 Stock.
Auf einer anderen Ebene, in einer anderen Wohnung.
Merkst du es denn nicht, daß dein Zimmer kleiner geworden ist? Auch die Möbel, der Schrank, der Spiegel – Du
kannst dich noch sehen im Spiegel, er ist immer noch groß

30 genug – gewiß, gewiß! Du bist auch nur ein Mensch, der
möchte, daß seine Krawatte richtig sitzt. Doch sieh mal
zum Fenster hinaus!
Wie entfernt ist alles geworden! Wie winzig sind plötzlich
die großen Gebieter und wie arm die reichen Plebejer! Wie

35 lächerlich!

Abgeleitet vom Sprichwort: »Des einen Tod, des anderen Brot.«

Wie verwaschen die Fahnen!
Kannst du die Transparente noch lesen?
Nein.
Hörst du noch das Radio?
Kaum.   5
Das Mädchen müßte gar nicht so schreien, damit sie es
übertönt.
Sie schreit auch nicht mehr.
Sie weint nur leise.
Aber sie übertönt alles.   10

Einer von fünf

Ich putz mir gerade die Zähne, als meine Hausfrau er-
scheint.
»Es ist ein Schüler draußen, der Sie sprechen möcht.«
»Einen Moment!«   15
Die Hausfrau geht, und ich ziehe meinen Morgenrock an.
Ein Schüler? Was will er?
Ich muß an den T denken.
Den Morgenrock hab ich zu Weihnachten bekommen. Von
meinen Eltern. Sie sagten schon immer: »Du kannst doch   20
nicht ohne Morgenrock leben!«
Er ist grün und lila.
Meinen Eltern haben keinen Farbensinn.
Es klopft.
»Herein!«   25
Der Schüler tritt ein und verbeugt sich.
Ich erkenne ihn nicht sogleich – richtig – das ist der eine B!
Ich hatte fünf B's in der Klasse, aber dieser B fiel mir am
wenigsten auf. Was will er? Wie kommt es, daß er draußen
nicht mitmarschiert?   30

»Herr Lehrer«, beginnt er, »ich hab es mir lange überlegt, ob es vielleicht wichtig ist – ich glaube, ich muß es sagen.«

»Was?«

»Es hat mir keine Ruh gelassen, die Sache mit dem Kompaß.«

»Ja, ich hab es nämlich in der Zeitung gelesen, daß bei dem toten N ein Kompaß gefunden worden ist, von dem niemand weiß, wem er gehört –«

»Na und?«

»Ich weiß, wer den Kompaß verloren hat.«

»Wer?«

»Der T.«

Der T?! durchzuckt es mich.

Schwimmst du wieder heran?

Tauchst dein Kopf aus den finsteren Wassern auf – siehst du das Netz?

Er schwimmt, er schwimmt – –

»Woher weißt du es, daß der Kompaß dem T gehört?« frage ich den B und befleißige mich, gleichgültig zu scheinen.

»Weil er ihn überall gesucht hat, wir schliefen nämlich im selben Zelt.«

»Du willst doch nicht sagen, daß der T mit dem Mord irgendwas zu tun hat?«

Er schweigt und blickt in die Ecke.

Ja, er will es sagen.

»Du traust das dem T zu?«

Er sieht mich groß an, fast erstaunt.

»Ich traue jedem alles zu«, sagt er.

»Aber doch nicht einen Mord!«

»Warum nicht?«

Er lächelt – nein, nicht spöttisch. Eher traurig.

»Aber warum hätte denn der T den N ermorden sollen, warum? Es fehlt doch jedes Motiv!«

»Der T sagte immer, der N sei sehr dumm.«

»Aber das wär doch noch kein Grund!«

»Das noch nicht. Aber wiessen Sie, Herr Lehrer, der T ist entsetzlich wißbegierig, immer möcht er alles genau wissen, wie es wirklich ist, und er hat mir mal gesagt, er möcht es gern sehen, wie einer stirbt.«

»Was?!« 5

»Ja, er möchte es sehen, wie das vor sich geht – er hat auch immer davon phantasiert, daß er mal zuschauen möcht, wenn ein Kind auf die Welt kommt.«

Ich trete ans Fenster, ich kann momentan nichts reden. Draußen marschieren sie noch immer, die Eltern und die 10 Kinder.

Und es fällt mir plötzlich wieder auf, wieso dieser B hier bei mir ist.

»Warum marschierst du eigentlich nicht mit?« frage ich ihn. »Das ist doch deine Pflicht!« 15

Er grinst. »Ich habe mich krank gemeldet.«

Unsere Blicke treffen sich. Verstehen wir uns?

»Ich verrate dich nicht«, sage ich.

»Das weiß ich«, sagt er.

Was weißt du? denke ich. 20

»Ich mag nicht mehr marschieren und das Herumkommandiertwerden kann ich auch nicht mehr ausstehen, da schreit dich ein jeder an, nur weil er zwei Jahre älter ist! Und dann die faden Ansprachen, immer dasselbe, lauter Blödsinn!« 25

Ich muß lächeln.

»Hoffentlich bist du der einzige in der Klasse, der so denkt!«

»Oh nein! Wir sind schon zu viert!«

Zu viert? Schon? 30

Und seit wann?

»Erinnern Sich sich, Herr Lehrer, wie Sie damals die Sache über die Neger gesagt haben, noch im Frühjahr vor unserem Zeltlager? Damals haben wir doch alle unterschrieben, daß wir Sie nicht mehr haben wollen – aber ich tats 35 nur unter Druck, denn Sie haben natürlich sehr recht gehabt mit den Negern. Und dann allmählich fand ich noch drei, die auch so dachten.«

»Wer sind denn die drei?«

»Das darf ich nicht sagen. Das verbieten mir unsere Satzungen.«

»Satzungen?«

»Ja, wir haben nämlich einen Klub gegründet. Jetzt sind noch zwei dazugekommen, aber das sind keine Schüler. Der eine ist ein Bäckerlehrling und der andere ein Laufbursch.«

»Einen Klub?«

»Wir kommen wöchentlich zusammen und lesen alles, was verboten ist.«

»Aha!«

Wie sagte Julius Caesar?

Sie lesen heimlich alles, aber nur, um es verspotten zu können.

Ihr Ideal ist der Hohn, es kommen kalte Zeiten.

Und ich frage den B:

»Und dann sitzt ihr beieinander in eurem Klub und spöttelt über alles, was?«

»Oho! Spötteln ist bei uns streng verboten nach Paragraph drei! Es gibt schon solche, die immer nur alles verhöhnen, zum Beispiel der T, aber wir sind nicht so, wir kommen zusammen und besprechen dann alles, was wir gelesen haben.«

»Und?«

»Und dann reden wir halt, wie es sein sollte auf der Welt.«

Ich horche auf.

Wie es sein sollte?

Ich sehe den B an und es fällt mir der Z ein.

Er sagt zum Präsidenten: »Der Herr Lehrer sagt immer nur, wie es auf der Welt sein sollte, und nie, wie es wirklich ist.«

Und ich sehe den T.

Was sagte Eva in der Verhandlung?

»Der N fiel hin. Der fremde Junge beugte sich über den N und betrachtete ihn. Dann schleifte er ihn in den Graben.«

Und was sagte vorhin der B?

»Der T möchte immer nur wissen, wie es wirklich ist.«

Warum?

Nur um alles verhöhnen zu können?

Ja, es kommen kalte Zeiten. –

»Ihnen, Herr Lehrer«, höre ich wieder die Stimme des B, »kann man ja ruhig alles sagen. Drum komme ich jetzt auch mit meinem Verdacht zu Ihnen, um es mit Ihnen zu beraten, was man tun soll.«

»Warum gerade mit mir?«

»Wir haben es gestern im Klub alle gesagt, als wir Ihre Zeugenaussage mit dem Kästchen in der Zeitung gelesen haben, daß Sie der einzige Erwachsene sind, den wir kennen, der die Wahrheit liebt.«

Der Klub greift ein

Heute gehe ich mit dem B zum zuständigen Untersuchungsrichter. Gestern war nämlich sein Büro wegen des Staatsfeiertages geschlossen.

Ich erzähle dem Untersuchungsrichter, daß es der B möglicherweise wüßte, wem jener verlorene Kompaß gehört – doch er unterbricht mich höflich, die Sache mit dem Kompaß hätte sich bereits geklärt. Es wäre einwandfrei festgestellt worden, daß der Kompaß dem Bürgermeister des Dorfes, in dessen Nähe wir unser Zeltlager hatten, gestohlen worden war. Wahrscheinlich hätte ihn das Mädchen verloren, und wenn nicht sie, dann eben einer von ihrer

Bande, vielleicht auch schon bei einer früheren Gelegenheit, als er mal an dem damals noch zukünftigen Tatort zufällig vorbeigegangen wäre, denn der Tatort wäre ja in der Nähe der Räuberhöhle gelegen. Der Kompaß spiele
5 keine Rolle mehr.

Wir verabschieden uns also wieder, und der B schneidet ein enttäuschtes Gesicht.

Er spielt keine Rolle mehr? denke ich. Hm, ohne diesen Kompaß wäre doch dieser B niemals zu mir gekommen.
10 Es fällt mir auf, daß ich anders denke als früher.

Ich erwarte überall Zusammenhänge.

Alles spielt eine Rolle.

Ich fühle ein unbegreifliches Gesetz. –

Auf der Treppe begegnen wir dem Verteidiger.
15 Er begrüßt mich lebhaft.

»Ich wollte Ihnen bereits schriftlich danken«, sagt er, »denn nur durch Ihre schonungslose und unerschrockene Aussage wurde es mir möglich gemacht, diese Tragödie zu klären!«
20 Er erwähnt noch kurz, daß der Z von seiner Verliebtheit bereits radikal kuriert sei, und daß das Mädchen hysterische Krämpfe bekommen hätte und nun im Gefängnisspital liege. »Armer Wurm!« fügt er noch rasch hinzu und eilt davon, um neue Tragödien zu klären.
25 Ich sehe ihm nach.

»Das Mädel tut mir leid«, höre ich plötzlich die Stimme des B.

»Mir auch.«

Wir steigen die Treppen hinab.
30 »Man müßte ihr helfen«, sagt der B.

»Ja«, sage ich und denke an ihre Augen.

Und an die stillen Seen in den Wäldern meiner Heimat. Sie liegt im Spital*.   Krankenhaus

Und auch jetzt ziehen die Wolken über sie hin, die Wolken
35 mit den silbernen Rändern.

Nickte sie mir nicht zu, bevor sie die Wahrheit sprach?

Und was sagte der T? Sie ist die Mörderin, sie will sich nur herauslügen –

Ich hasse den T.

Plötzlich halte ich.

»Ist es wahr«, frage ich den B, »daß ich bei euch den Spitznamen hab: der Fisch?«

»Aber nein! Das sagt nur der T – Sie haben einen ganz anderen!«

»Welchen?«

»Sie heißen: der Neger.«

Er lacht und ich lach mit.

Wir steigen weiter hinab.

Auf einmal wird er wieder ernst.

»Herr Lehrer«, sagt er, »glauben Sie nicht auch, daß es der T war, auch wenn ihm der verlorene Kompaß nicht gehört?«

Ich halte wieder.

Was soll ich sagen?

Soll ich sagen: möglich, vielleicht, unter Umständen –?

Und ich sage:

»Ja. Ich glaube auch, daß er es war.«

Die Augen des B leuchten.

»Er war es auch«, ruft er begeistert, »und wir werden ihn fangen!«

»Hoffentlich!«

»Ich werde im Klub einen Beschluß durchdrücken, daß der Klub dem Mädel helfen soll! Nach Paragraph sieben sind wir ja nicht nur dazu da, um Bücher zu lesen, sondern auch, um danach zu leben.«

Und ich frage ihn: »Was ist denn euer Leitsatz?«

⌐»Für Wahrheit und Gerechtigkeit!«⌐

Er ist ganz außer sich vor Tatendrang.

Der Klub wird den T beobachten, auf Schritt und Tritt, Tag und Nacht, und wird mir jeden Tag Bericht erstatten.

Der Klub greift ein

»Schön«, sage ich und muß lächeln.

Auch in meiner Kindheit spielten wir Indianer.

Aber jetzt ist der Urwald anders.

Jetzt ist er wirklich da.

Zwei Briefe

Am nächsten Morgen bekomme ich einen entsetzten Brief
von meinen Eltern. Sie sind ganz außer sich, daß ich meinen
Beruf verlor. Ob ich denn nicht an sie gedacht hätte, als ich
ganz überflüssig die Sache mit dem Kästchen erzählte, und
warum ich sie denn überhaupt erzählt hätte?!

Ja, ich habe an euch gedacht. Auch an euch.

Beruhigt euch nur, wir werden schon nicht verhungern!

»Wir haben die ganze Nacht nicht geschlafen«, schreibt
meine Mutter, »und haben über Dich nachgedacht.«

So?

»Mit was haben wir das verdient?« fragt mein Vater. Er ist
ein pensionierter Werkmeister und ich muß jetzt an Gott
denken.

Ich glaube, er wohnt noch immer nicht bei ihnen, obwohl
sie jeden Sonntag in die Kirche gehen.

Ich setze mich und schreibe meinen Eltern.

»Liebe Eltern! Macht Euch keine Sorgen, Gott wird schon
helfen« –

Ich stocke. Warum?

Sie wußten es, daß ich nicht an ihn glaubte, und jetzt werden sie denken: schau, jetzt schreibt er von Gott, weil es
ihm schlecht geht!

Aber das soll niemand denken!

Nein, ich schäme mich –

Ich zerreiße den Brief.

Ja, ich bin noch stolz!

Und den ganzen Tag über will ich meinen Eltern schreiben.

Aber ich tu es nicht.

Immer wieder fange ich an, aber ich bringe es nicht über das Herz, das Wort Gott niederzuschreiben.

Der Abend kommt, und ich bekomme plötzlich wieder Angst vor meiner Wohnung.

Sie ist so leer.

Ich gehe fort.

Ins Kino?

Nein.

Ich gehe in die Bar, die nicht teuer ist.

Dort treffe ich Julius Caesar, es ist sein Stammlokal.

Er freut sich ehrlich, mich zu sehen.

»Es war anständig von Ihnen, das mit dem Kästchen zu sagen, hochanständig! Ich hätts nicht gesagt! Respekt, Respekt!«

Wir trinken und sprechen über den Prozeß.

Ich erzähle vom Fisch –

Er hört mir aufmerksam zu.

»Natürlich ist der Fisch derjenige«, meint er. Und dann lächelt er: »Wenn ich Ihnen behilflich sein kann, ihn zu fangen, stehe ich Ihnen gerne zur Verfügung, denn auch ich habe meine Verbindungen –«

Ja, die hat er allerdings.

Immer wieder wird unser Gespräch gestört. Ich sehe, daß Julius Caesar ehrfürchtig gegrüßt wird, viele kommen zu ihm und holen sich Rat, denn er ist ein wissender und weiser Mann.

Es ist alles Unkraut.

⌜Ave Caesar, morituri te salutant!⌝

Und in mir erwacht plötzlich die Sehnsucht nach der Verkommenheit. Wie gerne möchte ich auch einen Totenkopf als Krawattennadel haben, den man illuminieren kann!

»Passen Sie auf Ihren Brief auf!« ruft mir Caesar zu. »Er fällt Ihnen aus der Tasche!«

Ach so, der Brief!

Caesar erklärt gerade einem Fräulein ⌐die neuen Paragraphen des Gesetzes für öffentliche Sittlichkeit⌐.

Ich denke an Eva.

Wie wird sie aussehen, wenn sie so alt sein wird wie dieses Fräulein?

Wer kann ihr helfen?

Ich setze mich an einen anderen Tisch und schreibe meinen Eltern.

»Macht Euch keine Sorgen, Gott wird schon helfen!« Und ich zerreiße den Brief nicht wieder.

Oder schrieb ich ihn nur, weil ich getrunken habe?

Egal!

Herbst

Am nächsten Tag überreicht mir meine Hausfrau ein Kuvert, ein Laufbursche hätte es abgegeben.

Es ist ein blaues Kuvert, ich erbreche es und muß lächeln.

Die Überschrift lautet:

»Erster Bericht des Klubs.«

Und dann steht da:

»Nichts Besonderes vermerkt.«

Jaja, der brave Klub! Er kämpft für Wahrheit und Gerechtigkeit, kann aber nichts Besonderes vermerken!

Auch ich vermerke nichts.

Was soll man nur tun, damit sie nicht verurteilt wird?

Immer denke ich an sie –

Liebe ich denn das Mädel?

Ich weiß es nicht.

Ich weiß nur, daß ich ihr helfen möchte –

Ich hatte viele Weiber, denn ich bin kein Heiliger und die Weiber sind auch keine Heiligen.

Aber nun liebe ich anders.
Bin ich denn nicht mehr jung?
Ist es das Alter?
Unsinn! Es ist doch noch Sommer.
Und ich bekomme jeden Tag ein blaues Kuvert: zweiter, 5
dritter, vierter Bericht des Klubs.
Es wird nichts Besonderes vermerkt.
Und die Tage vergehen –
Die Äpfel sind schon reif und nachts kommen die Nebel.
Das Vieh kehrt heim, das Feld ist kahl – 10
Ja, es ist noch Sommer, aber man wartet schon auf den
Schnee.
Ich möchte ihr helfen, damit sie nicht friert.
Ich möchte ihr einen Mantel kaufen, Schuhe und Wä-
sche. 15
Sie braucht es nicht vor mir auszuziehen –
Ich möchte nur wissen, ob der Schnee kommen kann.
Noch ist alles grün.
Aber sie muß nicht bei mir sein.
Wenns ihr nur gut geht. 20

Besuch

Heute vormittag bekam ich Besuch. Ich habe ihn nicht sogleich wiedererkannt, es war der Pfarrer, mit dem ich mich
mal über die Ideale der Menschheit unterhalten hatte.
Er trat ein und trug Zivil, dunkelgraue Hose und einen 25
blauen Rock. Ich stutzte. Ist er weggelaufen?
»Sie wundern sich«, lächelt er, »daß ich Zivil trage, aber
das trage ich meistens, denn ich stehe zu einer besonderen
Verfügung – kurz und gut: meine Strafzeit ist vorbei, doch
reden wir mal von Ihnen! Ich habe Ihre tapfere Aussage in 30

den Zeitungen gelesen und wäre schon früher erschienen,
aber ich mußte mir erst Ihre Adresse beschaffen. Übrigens:
Sie haben sich stark verändert, ich weiß nicht wieso, aber
irgendwas ist anders geworden. Richtig, Sie sehen viel heiterer aus!«

»Heiterer?«

»Ja. Sie dürfen auch froh sein, daß Sie das mit dem Kästchen gesagt haben, auch wenn Sie jetzt die halbe Welt ver-
leumdet. Ich habe oft an Sie gedacht, obwohl oder weil Sie
mir damals sagten, Sie glaubten nicht an Gott. Inzwischen
werden Sie ja wohl angefangen haben, etwas anders über
Gott zu denken –«

Was will er? denke ich und betrachte ihn mißtrauisch.

»Ich hätte Ihnen etwas Wichtiges mitzuteilen, aber zunächst beantworten Sie mir, bitte, zwei Fragen. Also erstens: Sie sind sich wohl im klaren darüber, daß Sie, selbst
wenn die Staatsanwaltschaft das Verfahren gegen Sie nie-
derschlagen sollte, nie wieder an irgendeiner Schule dieses
Landes unterrichten werden?«

»Ja, darüber war ich mir schon im klaren, bevor ich die
Aussage machte.«

»Das freut mich! Und nun zweitens: wovon wollen Sie jetzt
leben? Ich nehme an, daß Sie keine Sägewerksaktien besit-
zen, da Sie sich ja damals so heftig für die Heimarbeiter
einsetzten, für die Kinder in den Fenstern – erinnern Sie
sich?«

Ach, die Kinder in den Fenstern! Die hatte ich ja ganz vergessen!

Und das Sägewerk, das nicht mehr sägt –

Wie weit liegt das alles zurück!

Wie in einem anderen Leben – –

Und ich sage: »Ich habe nichts. Und ich muß auch meine
Eltern unterstützen.«

Er sieht mich groß an und sagt dann nach einer kleinen
Pause: »Ich hätte ein Stellung für Sie.«

»Was?! Eine Stellung?!«

»Ja, aber in einem anderen Land.«

»Wo?«

»In Afrika.«

»Bei den Negern?« Es fällt mir ein, daß ich »der Neger« heiße, und ich muß lachen.

Er bleibt ernst.

»Warum finden Sie das so komisch? Neger sind auch nur Menschen!«

Wem erzählen Sie das? möchte ich ihn fragen, aber ich sage nichts dergleichen, sondern höre es mir an, was er mir vorschlägt: ich könnte Lehrer werden, und zwar in einer Missionsschule.

»Ich soll in einen Orden eintreten?«

»Das ist nicht notwendig.«

Ich überlege. Heute glaube ich an Gott, aber ich glaube nicht daran, daß die Weißen die Neger beglücken, denn sie bringen ihnen Gott als schmutziges Geschäft.

Und ich sage es ihm.

Er bleibt ganz ruhig.

»Das hängt lediglich von Ihnen ab, ob Sie Ihre Sendung mißbrauchen, um schmutzige Geschäfte machen zu können.«

Ich horche auf.

Sendung?

»Jeder Mensch hat eine Sendung«, sagt er.

Richtig!

Ich muß einen Fisch fangen.

Und ich sage dem Pfarrer, ich werde nach Afrika fahren, aber nur dann, wenn ich das Mädchen befreit haben werde.

Er hört mir aufmerksam zu.

Dann sagt er:

»Wenn Sie glauben zu wissen, daß der fremde Junge es tat, dann müssen Sie es seiner Mutter sagen. Die Mutter muß alles hören. Gehen Sie gleich zu ihr hin« –

Die Endstation

Ich fahre zur Mutter des T.

Der Pedell* im Gymnasium gab mir die Adresse. Er verhielt sich sehr reserviert, denn ich hätte ja das Haus nicht be-
5 treten dürfen.

Ich werde es nie mehr betreten, ich fahre nach Afrika.

Jetzt sitze ich in der Straßenbahn.

Ich muß bis zur Endstation.

Die schönen Häuser hören allmählich auf und dann kom-
10 men die häßlichen. Wir fahren durch arme Straßen und erreichen das vornehme Villenviertel.

»Endstation!« ruft der Schaffner. »Alles aussteigen!«

Ich bin der einzige Fahrgast.

Die Luft ist hier bedeutend besser als dort, wo ich wohne.

15 Wo ist Nummer dreiundzwanzig?

Die Gärten sind gepflegt. Hier gibts keine Gartenzwerge.

Kein ruhendes Reh und keinen Pilz.

Endlich hab ich dreiundzwanzig.

Das Tor ist hoch und das Haus ist nicht zu sehen, denn der
20 Park ist groß.

Ich läute und warte.

Der Pförtner erscheint, ein alter Mann. Er öffnet das Gitter nicht.

»Sie wünschen?«

25 »Ich möchte Frau T sprechen.«

»In welcher Angelegenheit?«

»Ich bin der Lehrer ihres Sohnes.«

»Sofort!«

Er öffnet das Gitter.

30 Wir gehen durch den Park.

Hinter einer schwarzen Tanne erblicke ich das Haus.

Fast ein Palast.

Ein Diener erwartet uns bereits und der Pförtner übergibt

Hausmeister einer Schule

mich dem Diener: »Der Herr möchte die gnädige Frau sprechen, er ist der Lehrer des jungen Herrn.«

Der Diener verbeugt sich leicht.

»Das dürfte leider seine Schwierigkeiten haben«, meint er höflich, »denn gnädige Frau haben soeben Besuch.« 5

»Ich muß sie aber dringend sprechen in einer sehr wichtigen Angelegenheit!«

»Könnten Sie sich nicht für morgen anmelden?«

»Nein. Es dreht sich um ihren Sohn.«

Er lächelt und macht eine winzige wegwerfende Geste. 10

»Auch für ihren Sohn haben gnädige Frau häufig keine Zeit. Auch der junge Herr muß sich meist anmelden lassen.«

»Hören Sie«, sage ich und schaue ihn böse an, »melden Sie mich sofort oder Sie tragen die Verantwortung!« 15

Er starrt mich einen Augenblick entgeistert an, dann verbeugt er sich wieder leicht: »Gut, versuchen wir es mal. Darf ich bitten! Verzeihung, daß ich vorausgehe!«

Ich betrete das Haus.

Wir gehen durch einen herrlichen Raum und dann eine 20 Treppe empor in den ersten Stock.

Eine Dame kommt die Treppen herab, der Diener grüßt und sie lächelt ihn an. Und auch mich.

Die kenne ich doch? Wer ist denn das?

Wir steigen weiter empor. 25

»Das war die Filmschauspielerin X«, flüstert mir der Diener zu.

Ach ja, richtig!

Die hab ich erst unlängst gesehen. Als Fabrikarbeiterin, die den Fabrikdirektor heiratet. 30

Sie ist die ⌐Freundin des Oberplebejers⌐.

Dichtung und Wahrheit!*

»Sie ist eine göttliche Künstlerin«, stellt der Diener fest, und nun erreichen wir den ersten Stock.

Eine Tür ist offen, und ich höre Frauen lachen. Sie müssen 35 im dritten Zimmer sitzen, denke ich. Sie trinken Tee.

nach dem
Untertitel von
J. W. Goethes
(1749–1832)
Autobiografie
*Aus meinem
Leben.
Dichtung und
Wahrheit*
(1811–1816)

Der Diener führt mich links in einen kleinen Salon und
bittet, Platz zu nehmen, er würde alles versuchen, bei der
ersten passenden Gelegenheit.

Dann schließt er die Türe, ich bleibe allein und warte. Es ist
5 noch früh am Nachmittag, aber die Tage werden kürzer.

An den Wänden hängen alte Stiche. ⌜Jupiter und Jo⌝. ⌜Amor
und Psyche⌝. ⌜Marie Antoinette⌝.

Es ist ein rosa Salon mit viel Gold.

Ich sitze auf einem Stuhl und sehe die Stühle um den Tisch
10 herum stehen. Wie alt seid ihr? Bald zweihundert Jahre –
Wer saß schon alles auf euch?

Leute, die sagten: morgen sind wir ⌜bei Marie Antoinette
zum Tee⌝.

Leute, die sagten: morgen gehen wir zur ⌜Hinrichtung der
15 Marie Antoinette⌝.

Wo ist jetzt Eva?

Hoffentlich noch im Spital, dort hat sie wenigstens ein Bett.
Hoffentlich ist sie noch krank.

Ich trete ans Fenster und schaue hinaus.
20 Die schwarze Tanne wird immer schwärzer, denn es däm-
mert bereits.

Ich warte.

Endlich öffnet sich langsam die Türe.

Ich drehe mich um, denn nun kommt die Mutter des T.
25 Wie sieht sie aus?

Ich bin überrascht.

Es steht nicht die Mutter vor mir, sondern der T.

Er selbst.

Er grüßt höflich und sagt:
30 »Meine Mutter ließ mich rufen, als sie hörte, daß Sie da
sind, Herr Lehrer. Sie hat leider keine Zeit.«

»So? Und wann hat sie denn Zeit?«

Er zuckt müde die Achsel: »Das weiß ich nicht. Sie hat
eigentlich nie Zeit.«
35 Ich betrachte den Fisch.

Seine Mutter hat keine Zeit. Was hat sie denn zu tun? Sie denkt nur an sich.

Und ich muß an den Pfarrer denken und an die Ideale der Menschheit.

Ist es wahr, daß die Reichen immer siegen? 5

Umkehrung v. Joh 2,3–11 Wird der Wein nicht zu Wasser?*

Und ich sage zum T: »Wenn deine Mutter immer zu tun hat, dann kann ich vielleicht mal deinen Vater sprechen?«

»Vater? Aber der ist doch nie zu Haus! Er ist immer unter- 10 wegs, ich seh ihn kaum. Er leitet ja einen Konzern.«

Einen Konzern?

Ich sehe ein Sägewerk, das nicht mehr sägt.

Die Kinder sitzen in den Fenstern und bemalen die Puppen.

Sie sparen das Licht, denn sie haben kein Licht. 15

Und Gott geht durch alle Gassen.

Er sieht die Kinder und das Sägewerk.

Und er kommt.

Er steht draußen vor dem hohen Tore.

Der alte Pförtner läßt ihn nicht ein. 20

»Sie wünschen?«

»Ich möchte die Eltern T sprechen.«

»In welcher Angelegenheit?«

»Sie wissen es schon.«

Ja, sie wissen es schon, aber sie erwarten ihn nicht. – 25

»Was wollen Sie eigentlich von meinen Eltern?« höre ich plötzlich die Stimme des T.

Ich blicke ihn an.

Jetzt wird er lächeln, denke ich.

Aber er lächelt nicht mehr. Er schaut nur. 30

Ahnt er, daß er gefangen wird?

Seine Augen haben plötzlich Glanz.

Die Schimmer des Entsetzens.

Und ich sage: »Ich wollte mit deinen Eltern über dich spre-chen, aber leider haben sie keine Zeit.« 35

»Über mich?«
Er grinst.
Ganz leer.
Da steht der Wißbegierige, wie ein Idiot.
5 Jetzt scheint er zu lauschen.
Was fliegt um ihn?
Was hört er?
Die Flügel der Verblödung? Ich eile davon.

Der Köder

10 Zu Hause liegt wieder ein blaues Kuvert. Aha, der Klub!
Sie werden wieder nichts vermerkt haben – Ich öffne und
lese:
»Achter Bericht des Klubs. Gestern nachmittag war der T
im Kristall-Kino. Als er das Kino verließ, sprach er mit
15 einer eleganten Dame, die er drinnen getroffen haben mußte. Er ging dann mit der Dame in die Y-Straße Nummer 67.
Nach einer halben Stunde erschien er mit ihr wieder im
Haustor und verabschiedete sich von ihr. Er ging nach
Hause. Die Dame sah ihm nach, schnitt eine Grimasse und
20 spuckte ostentativ* aus. Es ist möglich, daß es keine Dame   demonstrativ,
war. Sie war groß und blond, hatte einen dunkelgrünen   herausfordernd
Mantel und einen roten Hut. Sonst wurde nichts ver-
merkt.«
Ich muß grinsen.
25 Ach, der T wird galant – aber das interessiert mich nicht.
Warum schnitt sie eine Grimasse?
Natürlich war sie keine Dame, doch warum spuckte sie
ostentativ aus?
Ich geh mal hin und frage sie.
30 Denn ich will jetzt jede Spur verfolgen, jede winzigste, un-
sinnigste –

Wenn er nicht anbeißt, wird man ihn wohl mit einem Netz fangen müssen, mit einem Netz aus feinsten Maschen, durch die er nicht schlüpfen kann.

Ich gehe in die Y-Straße 67 und frage die Hausmeisterin nach einer blonden Dame –

Sie unterbricht mich sofort: »Das Fräulein Nelly wohnt Tür siebzehn.«

In dem Hause wohnen kleine Leute, brave Bürger. Und ein Fräulein Nelly.

Ich läute an Tür siebzehn.

Eine Blondine öffnet und sagt: »Servus. Komm nur herein!«

Ich kenne sie nicht.

Im Vorzimmer hängt der dunkelgrüne Mantel, auf dem Tischchen liegt der rote Hut. Sie ist es.

Jetzt wird sie böse werden, daß ich nur wegen einer Auskunft komme. Ich verspreche ihr also ihr Honorar, wenn sie mir antwortet. Sie wird nicht böse, sondern mißtrauisch. Nein, ich bin kein Polizist, versuche ich zu beruhigen, ich möchte ja nur wissen, warum sie gestern hinter dem Jungen her ausgespuckt hat?

»Zuerst das Geld«, antwortet sie.

Ich gebe es ihr.

Sie macht sichs auf dem Sofa bequem und bietet mir eine Zigarette an.

Wir rauchen.

»Ich rede nicht gern darüber«, sagt sie.

Sie schweigt noch immer.

Plötzlich legt sie los: »Warum ich ausgespuckt hab, ist bald erklärt: es war eben einfach zu ekelhaft! Widerlich!«

Sie schüttelt sich.

»Wieso?«

»Stellen Sie sich vor, er hat dabei gelacht!«

»Gelacht?«

»Es ist mir ganz kalt heruntergelaufen und dann bin ich so wild geworden, daß ich ihm eine Ohrfeige gegeben hab! Da

ist er gleich vor den Spiegel gerannt und hat gesagt: es ist
nicht rot! Immer hat er nur beobachtet, beobachtet! Wenns
nach mir ging, würd ich ja diesen Kerl nie mehr anrühren,
aber leider werde ich nochmals das Vergnügen haben müs-
5 sen –«

»Nochmal? Wer zwingt Sie denn dazu?«

»Zwingen laß ich mich nie, nicht die Nelly! Aber ich er-
weise damit jemand einen freiwilligen Gefallen, wenn ich
mich mit dem Ekel noch einmal einlaß – ich muß sogar so
10 tun, als wär ich in ihn verliebt!«

»Sie erweisen damit jemandem einen Gefallen?«

»Ja, weil ich eben diesem jemand auch sehr zu Dank verpflichtet bin.«

»Wer ist das?«

15 »Nein, das darf ich nicht sagen! Das sagt die Nelly nicht!
Ein fremder Herr.«

»Aber was will denn dieser fremde Herr?«

Sie sieht mich groß an und sagt dann langsam:

»Er will einen Fisch fangen.«

20 Ich schnelle empor und schreie: »Was?! Einen Fisch?!«

Sie erschrickt sehr.

»Was ist Ihnen?« fragt sie und drückt rasch ihre Zigarette
aus. »Nein-nein, jetzt spricht die Nelly kein Wort mehr!
Mir scheint, Sie sind ein Verrückter! Gehen wir, gehen wir!
25 Pa, adieu!«

Ich gehe und torkle fast, ganz wirr im Kopf.

Wer fängt den Fisch?

Was ist los?

Wer ist dieser fremde Herr?

Im Netz

Als ich nach Hause komme, empfängt mich meine Hausfrau besorgt. »Es ist ein fremder Herr hier«, sagt sie, »er wartet auf Sie schon seit einer halben Stunde und ich hab Angst, etwas an ihm stimmt nämlich nicht.
Er sitzt im Salon.«
Ein fremder Herr?
Ich betrete den Salon.
Es ist Abend geworden und er sitzt im Dunkeln.
Ich mache Licht.
Ach, Julius Caesar!
»Endlich!« sagt er und illuminiert seinen Totenkopf.
»Jetzt spitzen Sie aber Ihre Ohren, Kollega!«
»Was gibts denn?«
»Ich habe den Fisch.«
»Was?!«
»Ja. Er schwimmt schon um den Köder herum, immer näher – heut nacht beißt er an! Kommen Sie, wir müssen rasch hin, der Apparat ist schon dort, höchste Zeit!«
»Was für ein Apparat?«
»Werd Ihnen alles erklären!«
Wir gehen rasch fort.
»Wohin?«
»In die Lilie!«
»In wohin?«
»Wie sag ichs meinem Kinde? Die Lilie ist ein ordinäres Animierlokal!«
Er geht sehr rasch und es beginnt zu regnen.
»Regen ist gut«, sagt er, »bei Regen beißen sie eher an.«
Er lacht.
»Hören Sie«, schreie ich ihn an, »was haben Sie vor!«
»Ich erzähl alles, sowie wir sitzen! Kommen Sie, wir werden naß!«

»Aber wie kommen Sie dazu, den Fisch zu fangen und mir nichts zu sagen?!«

»Ich wollte Sie überraschen, lassen Sie mir die Freud!«

Plötzlich bleibt er stehen, obwohl es jetzt stark regnet und er große Eile hat.

Er sieht mich sonderbar an und sagt dann langsam:

»Sie fragen«, und mir ists, als betone er jedes Wort, »Sie fragen mich, warum ich den Fisch fange? Sie haben mir doch davon erzählt, vor ein paar Tagen – erinnern Sie sich? Sie haben sich dann an einen anderen Tisch gesetzt und es fiel mir plötzlich auf, wie traurig Sie sind wegen dem Mädel, und da war es mir so, daß ich Ihnen helfen muß. Erinnern Sie sich, wie Sie dort an dem Tisch gesessen sind – ich glaube, Sie schrieben einen Brief.«

Einen Brief?!

Ja, richtig! Den Brief an meine Eltern!

Als ich es endlich über mich brachte: »Gott wird schon helfen« –

Ich wanke.

»Was ist Ihnen? Sie sind ja ganz blaß?« höre ich Caesars Stimme.

»Nichts, nichts!«

»Höchste Zeit, daß Sie einen Schnaps bekommen!«

Vielleicht!

Es regnet und das Wasser wird immer mehr.

Mich schaudert.

Einen winzigen Augenblick lang sah ich das Netz.

Der N

Die Lilie ist kaum zu finden, so finster ist die ganze Umgebung.

Drinnen ist es nicht viel heller.

Aber wärmer und es regnet wenigstens nicht hinein.

»Die Damen sind schon da«, empfängt uns die Besitzerin und deutet auf die dritte Loge.

»Bravo!« sagt Caesar und wendet sich zu mir: »Die Damen sind nämlich meine Köder. Die Regenwürmer, gewissermaßen.«

In der dritten Loge sitzt das Fräulein Nelly mit einer dicken Kellnerin.

Nelly erkennt mich sogleich, schweigt jedoch aus Gewohnheit.

Sie lächelt nur sauer.

überrascht Caesar hält perplex*.

»Wo ist der Fisch?« fragt er hastig.

»Er ist nicht erschienen«, sagt die Dicke. Es klingt so traurig monoton.

»Er hat mich sitzenlassen«, meint Nelly und lächelt süß.

»Zwei Stunden hat sie vor dem Kino gewartet«, nickt die Dicke resigniert.

»Zweieinhalb«, korrigiert Nelly und lächelt plötzlich nicht mehr. »Ich bin froh, daß das Ekel nicht gekommen ist.«

»Na sowas«, meint Caesar und stellt mich den Damen vor: »Ein ehemaliger Kollege.«

Die Dicke mustert mich, und das Fräulein Nelly blickt in die Luft. Sie richtet ihren Büstenhalter.

Wir setzen uns.

Der Schnaps brennt und wärmt.

Wir sind die einzigen Gäste.

Die Besitzerin setzt sich die Brille auf und liest die Zeitung. Sie beugt sich über die Bar und es sieht aus, als würde sie sich die Ohren zuhalten.

Sie weiß von nichts und möchte auch von nichts wissen.

Wieso sind die beiden Damen Regenwürmer?

»Was geht hier eigentlich vor sich?« frage ich Caesar.

Er beugt sich ganz nahe zu mir: »Ich wollte Sie ursprünglich eigentlich vorher gar nicht einweihen, verehrter Kollega, denn es ist und bleibt eine ordinäre Geschichte und Sie sollten nichts damit zu tun haben, aber dann dachte ich, es könnt vielleicht doch nichts schaden, wenn wir noch einen Zeugen hätten. Wir drei, die beiden Damen und ich, wollten nämlich die Tat rekonstruieren.«

»Rekonstruieren?!«

»Gewissermaßen.«

»Aber wieso denn?!«

»Wir wollten, daß der Fisch den Mord wiederholt.«

»Wiederholt?!«

»Ja. Und zwar nach einem altbewährten genialen Plan. Ich wollte nämlich die ganze Affäre in einem Bett rekonstruieren.«

»In einem Bett?!«

»Passen Sie auf, Kollega«, nickt er mir zu und illuminiert seinen Totenkopf, »das Fräulein Nelly sollte den Fisch vor dem Kino erwarten, denn er meint nämlich, daß sie ihn liebt.«

Er lacht.

Aber das Fräulein Nelly lacht nicht mit. Sie schneidet nur eine Grimasse und spuckt aus.

»Spuck hier nicht herum!« grinst die Dicke.

»Das freie Ausspucken ist behördlich verboten!«

»Die Behörde darf mich«, beginnt Nelly.

»Also nur keine Politik!« fällt ihr Caesar ins Wort und wendet sich wieder mir zu: »Hier in dieser Loge sollte unser lieber Fisch besoffen gemacht werden, bis er nicht mehr hätt schwimmen können, so daß man ihn sogar mit der Hand hätt fangen können – dann wären die beiden Damen mit ihm dort hinten durch die Tapetentür aufs Zimmer gegangen. Und hierauf hätte sich folgerichtig und logischerweise folgendes entwickelt:

Der Fisch wäre eingeschlafen.

Die Nelly hätte sich auf den Boden gelegt und dies rundli-

che Kind hätte sie mit einem Leintuch zugedeckt, ganz und
gar, als wär sie eine Leiche.

Dann hätt sich meine liebe Rundliche auf den schlafenden
Fisch gestürzt und hätt gellend geschrien: ›Was hast du getan?! Menschenskind, was hast du getan?!‹   5

Und ich wär ins Zimmer getreten und hätt gesagt: ›Polizei!‹
und hätts ihm auf den Kopf zugesagt, daß er in seinem
Rausch die Nelly erschlagen hat, genau so wie seinerzeit
den anderen – wir hätten eine große Szene aufgeführt und
ich hätt ihm auch ein paar Ohrfeigen gegeben – ich wette,   10
Kollega, er hätt sich verraten! Und wenns auch nur ein
Wörtchen gewesen wär, ich hätt ihn aufs Land gezogen, ich
schon!«

Ich muß lächeln.

Er sieht mich an, fast unwillig.   15

»Sie haben recht«, sagt er, »der Mensch denkt und Gott
lenkt* – wenn wir uns ärgern, daß einer nicht anbeißt, dann
zappelt er vielleicht schon im Netz.«

Es durchzuckt mich.

Im Netz?!   20

»Lächeln Sie nur«, höre ich Caesar, »Sie reden ja immer
nur von dem unschuldigen Mädel, aber ich denk auch an
den toten Jungen!«

Ich horche auf.

An den toten Jungen?   25

Ach so, der N – den hab ich ja ganz vergessen. –

Ich dachte an alle, alle – sogar an seine Eltern denke ich
manchmal, wenn auch nicht gerade liebevoll – aber nie an
ihn, nie, er fiel mir gar nicht mehr ein.

Ja, dieser N!   30

Der erschlagen worden war. Mit einem Stein.

Den es nicht mehr gibt.

nach den
Sprüchen
Salomos 16,9:
»Des
Menschen
Herz erdenkt
sich seinen
Weg; aber der
Herr allein
lenkt seinen
Schritt.«

Ich verlasse die Lilie.

Ich gehe rasch heim, und die Gedanken an den N, den es nicht mehr gibt, lassen mich nicht los.

5 Sie begleiten mich in mein Zimmer, in mein Bett.

Ich muß schlafen! Ich will schlafen!

Aber ich schlafe nicht ein –

Immer wieder höre ich den N: »Sie haben es ja ganz vergessen, Herr Lehrer, daß Sie mitschuldig sind an meiner

10 Ermordung. Wer hat denn das Kästchen erbrochen – ich oder Sie? Hatte ich Sie denn damals nicht gebeten: Helfen Sie mir, Herr Lehrer, ich habs nämlich nicht getan – aber Sie wollten einen Strich durch eine Rechnung ziehen, einen dicken Strich – ich weiß, ich weiß, es ist vorbei!«

15 Ja, es ist vorbei.

Die Stunden gehen, die Wunden stehen.

Immer rascher werden die Minuten –

Sie laufen an mir vorbei.

Bald schlägt die Uhr.

20 »Herr Lehrer«, höre ich wieder den N, »erinnern Sie sich an eine Geschichtsstunde im vorigen Winter. Wir waren im Mittelalter und da erzählten Sie, daß der Henker, bevor er zur Hinrichtung schritt, den Verbrecher immer um Verzeihung bat, daß er ihm nun ein großes Leid antun müsse,

25 denn eine Schuld kann nur durch Schuld getilgt werden.«

Nur durch Schuld?

Und ich denke: bin ich ein Henker?

Muß ich den T um Verzeihung bitten?

Und ich werd die Gedanken nicht mehr los –

30 Ich erhebe mich –

»Wohin?«

»Am liebsten weg, gleich weit weg –«

»Halt!«

Er steht vor mir, der N.

Ich komm durch ihn nicht durch.

Ich mag ihn nicht mehr hören!

Er hat keine Augen, aber er läßt mich nicht aus den Augen.

Ich mache Licht und betrachte den Lampenschirm.

Er ist voll Staub.

Immer muß ich an den T denken.

Er schwimmt um den Köder – oder?

Plötzlich fragt der N:

»Warum denken Sie nur an sich?«

»An mich?«

»Sie denken immer nur an den Fisch. Aber der Fisch, Herr Lehrer, und Sie, das ist jetzt ein und dasselbe.«

»Dasselbe?!«

»Sie wollen ihn doch fangen – nicht?«

»Ja, gewiß – also wieso sind ich und er ein und dasselbe?«

»Sie vergessen den Henker, Herr Lehrer – den Henker, der den Mörder um Verzeihung bittet. In jener geheimnisvollen Stunde, da eine Schuld durch eine andere Schuld getilgt wird, verschmilzt der Henker mit dem Mörder zu einem Wesen, der Mörder geht gewissermaßen im Henker auf – begreifen Sie mich, Herr Lehrer?«

Ja, ich fange allmählich an zu begreifen –

Nein, jetzt will ich nichts mehr wissen!

Hab ich Angst?

»Sie sind noch imstande und lassen ihn wieder schwimmen«, höre ich den N. »Sie beginnen ja sogar schon, ihn zu bedauern –«

Richtig, seine Mutter hat für mich keine Zeit –

»Sie sollen aber auch an meine Mutter denken, Herr Lehrer, und vor allem an mich! Auch wenn Sie nun den Fisch nicht meinetwegen, sondern nur wegen des Mädels fangen, wegen eines Mädels, an das Sie gar nicht mehr denken –«

Ich horche auf.

Er hat recht, ich denke nicht an sie –
Schon seit vielen Stunden.
Wie sieht sie denn nur aus?
Es wird immer kälter.
5 Ich kenne sie ja kaum –
Gewiß, gewiß, ich sah sie schon mal ganz, aber das war im
Mond und die Wolken deckten die Erde zu – doch was hat
sie nur für Haare? Braun oder blond?
Komisch, ich weiß es nicht.
10 Ich friere.
Alles schwimmt davon –
Und bei Gericht?
Ich weiß nur noch: wie sie mir zunickte, bevor sie die
Wahrheit sagte, aber da fühlte ich, ich muß für sie da sein.
15 Der N horcht auf.
»Sie nickte Ihnen zu?«
»Ja.«
Und ich muß an ihre Augen denken.
»Aber Herr Lehrer, sie hat doch keine solchen Augen! Sie
20 hat ja kleine, verschmitzte, unruhige, immer schaut sie hin
und her, richtige Diebsaugen!«
»Diebsaugen?«
»Ja.«
Und plötzlich wird er sonderbar feierlich.
25 »Die Augen, Herr Lehrer, die Sie anschauten, waren nicht
die Augen des Mädels. Das waren andere Augen.«
»Andere?«
»Ja.«

Das Reh

Mitten in der Nacht höre ich die Hausglocke.

Wer läutet da?

Oder habe ich mich getäuscht?

Nein, jetzt läutet es wieder!

Ich springe aus dem Bett, zieh mir den Morgenrock an und eile aus dem Zimmer. Dort steht bereits meine Hausfrau, verschlafen und wirr.

»Wer kommt denn da?« fragt sie besorgt.

»Wer ist da?« rufe ich durch die Türe.

»Kriminalpolizei!«

»Jesus Maria!« schreit die Hausfrau und wird sehr entsetzt. »Was habens denn angestellt, Herr Lehrer?«

»Ich? Nichts!«

Die Polizei tritt ein – zwei Kommissare. Sie fragen nach mir.

Jawohl, ich bin es.

»Wir wollen nur eine Auskunft. Ziehen Sie sich gleich an. Sie müssen mit!«

»Wohin?«

»Später!«

Ich ziehe mich überstürzt an – was ist geschehen?!

Dann sitz ich im Auto. Die Kommissare schweigen noch immer.

Wohin fahren wir?

Die schönen Häuser hören allmählich auf und dann kommen die häßlichen. Es geht durch die armen Straßen und wir erreichen das vornehme Villenviertel.

Ich bekomme Angst.

»Meine Herren«, sage ich, »was ist denn geschehen in Gottes Namen?!«

»Später!«

Hier ist die Endstation, wir fahren weiter.

Ja, jetzt weiß ich, wohin die Reise geht –

Das hohe Tor ist offen, wir fahren hindurch, es meldet uns niemand an.

In der Halle sind viele Menschen.

Ich erkenne den Pförtner und auch den Diener, der mich in den rosa Salon führte.

An einem Tische sitzt ein hoher polizeilicher Funktionär.

Und ein Protokollführer.

Alle blicken mich forschend und feindselig an.

Was hab ich denn verbrochen?

»Treten Sie näher«, empfängt mich der Funktionär.

Ich trete näher.

Was will man von mir?

»Wir müssen einige Fragen an Sie richten. Sie wollten doch gestern nachmittag die gnädige Frau sprechen –« er deutet nach rechts.

Ich blicke hin.

Dort sitzt eine Dame. In einem großen Abendkleid. Elegant und gepflegt – ach, die Mutter des T!

Sie starrt mich haßerfüllt an.

Warum?

»So antworten Sie doch!« höre ich den Funktionär.

»Ja«, sage ich, »ich wollte die gnädige Frau sprechen, aber sie hatte leider keine Zeit für mich.«

»Und was wollten Sie ihr erzählen?«

Ich stocke – aber es hat keinen Sinn!

Nein, ich will nicht mehr lügen!

Ich sah ja das Netz –

»Ich wollte der gnädigen Frau nur sagen«, beginne ich langsam, »daß ich einen bestimmten Verdacht auf ihren Sohn habe –«

Ich komme nicht weiter, die Mutter schnellt empor.

»Lüge!« kreischt sie. »Alles Lüge! Nur er hat die Schuld, nur er! Er hat meinen Sohn in den Tod getrieben! Er, nur er!«

Ich wanke.

In den Tod?!

»Was ist denn los?!« schreie ich.

»Ruhe!« herrscht mich der Funktionär an.

Und nun erfahre ich, daß der Fisch ins Netz geschwommen ist. Er wurde bereits ans Land gezogen und zappelt nicht mehr. Es ist aus.

Als die Mutter vor einer Stunde heimkam, fand sie einen Zettel auf dem Toilettentisch. »Der Lehrer trieb mich in den Tod«, stand auf dem Zettel.

Die Mutter lief in das Zimmer des T hinauf – der T war verschwunden. Sie alarmierte das Haus. Man durchstöberte alles und fand nichts. Man durchsuchte den Park, rief »T!« und immer wieder »T!« – keine Antwort.

Endlich wurde er entdeckt. In der Nähe eines Grabens.

Dort hatte er sich erhängt.

Die Mutter sieht mich an.

Sie weint nicht.

Sie kann nicht weinen, geht es mir durch den Sinn.

Der Funktionär zeigt mir den Zettel.

Ein abgerissenes Stück Papier.

Ohne Unterschrift.

Vielleicht schrieb er noch mehr, fällt es mir plötzlich ein.

Ich schau die Mutter an.

»Ist das alles?« frage ich den Funktionär.

Die Mutter schaut weg.

»Ja, das ist alles«, sagt der Funktionär. »Erklären Sie sich!«

Die Mutter ist eine schöne Frau. Ihr Ausschnitt ist hinten tiefer als vorne. Sie hat es sicher nie erfahren, was es heißt, nichts zum Fressen zu haben –

Ihre Schuhe sind elegant, ihre Strümpfe so zart, als hätte sie keine an, aber ihre Beine sind dick. Ihr Taschentuch ist klein.

Nach was riecht es? Sicher hat sie ein teures Parfüm –

Aber es kommt nicht darauf an, mit was sich einer parfü-
miert.
Wenn der Vater keinen Konzern hätte, würde die Mutter
nur nach sich selbst duften.
Jetzt sieht sie mich an, fast höhnisch.
Zwei helle, runde Augen –
Wie sagte doch seinerzeit der T in der Konditorei?
»Aber Herr Lehrer, ich hab doch keine Fischaugen, ich hab
ja Rehaugen – meine Mutter sagts auch immer.«
Sagte er nicht, sie hätte die gleichen Augen?
Ich weiß es nicht mehr.
Ich fixiere die Mutter.
Warte nur, du Reh!
Bald wird es schneien, und du wirst dich den Menschen
nähern.
Aber dann werde ich dich zurücktreiben!
Zurück in den Wald, wo der Schnee meterhoch liegt.
Wo du stecken bleibst vor lauter Frost –
Wo du verhungerst im Eis.
Schau mich nur an, jetzt rede ich!

Die anderen Augen

Und ich rede von dem fremden Jungen, der den N erschlagen hat, und erzähle, daß der T zuschauen wollte, wie
ein Mensch kommt und geht. Geburt und Tod, und alles,
was dazwischen liegt, wollt er genau wissen. Er wollte alle
Geheimnisse ergründen, aber nur, um darüberstehen zu
können – darüber mit seinem Hohn. Er kannte keine
Schauer, denn seine Angst war nur Feigheit. Und seine Liebe zur Wirklichkeit war nur der Haß auf die Wahrheit.
Und während ich so rede, fühle ich mich plötzlich wunderbar leicht, weil es keinen T mehr gibt.

Einen weniger!

Freue ich mich denn?

Ja! Ja, ich freue mich!

Denn trotz aller eigenen Schuld an dem Bösen ist es herrlich und wunderschön, wenn ein Böser vernichtet wird!

Und ich erzähle alles.

»Meine Herren«, sagte ich, »es gibt ein Sägewerk, das nicht mehr sägt, und es gibt Kinder, die in den Fenstern sitzen und die Puppen bemalen.«

»Was hat das mit uns zu tun?« fragt mich der Funktionär.

Die Mutter schaut zum Fenster hinaus.

Draußen ist Nacht.

Sie scheint zu lauschen –

Was hört sie?

Schritte?

Das Tor ist ja offen –

»Es hat keinen Sinn, einen Strich durch die Rechnung machen zu wollen«, sage ich und plötzlich höre ich meine Worte.

Jetzt starrt mich die Mutter wieder an.

Und ich höre mich: »Es ist möglich, daß ich Ihren Sohn in den Tod getrieben habe –«

Ich stocke –

Warum lächelt die Mutter?

Sie lächelt noch immer –

Ist sie verrückt?

Sie beginnt zu lachen – immer lauter!

Sie kriegt einen Anfall.

Sie schreit und wimmert –

Ich höre nur das Wort »Gott«.

Dann kreischt sie: »Es hat keinen Sinn!«

Man versucht, sie zu beruhigen.

Sie schlägt um sich.

Der Diener hält sie fest.

»Es sägt, es sägt!« jammert sie –

Was?

Das Sägewerk?

Sieht sie die Kinder in den Fenstern?

Ist jener Herr erschienen, der auch auf Ihre Zeit, gnädige
Frau, keine Rücksicht nimmt, denn er geht durch alle Gassen, ob groß oder klein –

Sie schlägt noch immer um sich.

Da verliert sie ein Stückchen Papier – als hätte ihr wer auf
die Hand geschlagen.

Der Funktionär hebt es auf.

Es ist ein zerknülltes Papier.

Der abgerissene Teil jenes Zettels, auf dem stand: »Der
Lehrer trieb mich in den Tod«.

Und hier schrieb der T, warum er in den Tod getrieben
wurde: »Denn der Lehrer weiß es, daß ich den N erschlagen habe. Mit dem Stein –«

Es wurde sehr still im Saal.

Die Mutter schien zusammengebrochen.

Sie saß und rührte sich nicht.

Plötzlich lächelt sie wieder und nickt mir zu.

Was war das?

Nein, das war doch nicht sie –

Das waren nicht ihre Augen –

Still, wie die dunklen Seen in den Wäldern meiner Heimat.

Und traurig, wie eine Kindheit ohne Licht.

So schaut Gott zu uns herein, muß ich plötzlich denken.

Einst dachte ich, er hätte tückische, stechende Augen –

Nein, nein!

⌐Denn Gott ist die Wahrheit.⌐

»Sage es, daß du das Kästchen erbrochen hast«, höre ich
wieder die Stimme. »Tu mir den Gefallen und kränke mich
nicht –«

Jetzt tritt die Mutter langsam vor den Funktionär und beginnt zu reden, leise, doch fest: »Ich wollte mir die Schande
ersparen«, sagt sie, »aber wie der Lehrer zuvor die Kinder

in den Fenstern erwähnte, dachte ich schon: ja, es hat keinen Sinn.«

⌜*Über den Wassern*⌝

Morgen fahre ich nach Afrika.
Auf meinem Tische stehen Blumen. Sie sind von meiner braven Hausfrau zum Abschied.
Meine Eltern haben mir geschrieben, sie sind froh, daß ich eine Stellung habe, und traurig, daß ich so weit weg muß über das große Meer.
Und dann ist noch ein Brief da. Ein blaues Kuvert.
»Schöne Grüße an die Neger. Der Klub.«
Gestern hab ich Eva besucht.
Sie ist glücklich, daß der Fisch gefangen wurde. Der Pfarrer hat es mir versprochen, daß er sich um sie kümmern wird, wenn sie das Gefängnis verläßt.
Ja, sie hat Diebsaugen.
Die Staatsanwaltschaft hat das Verfahren gegen mich niedergeschlagen, und der Z ist schon frei. Ich packe meine Koffer.
Julius Caesar hat mir seinen Totenkopf geschenkt. Daß ich ihn nur nicht verliere!
Pack alles ein, vergiß nichts!
Laß nur nichts da!
Der Neger fährt zu den Negern.

Kommentar

1. Einleitung

Ödön von Horváth (1901–1938) befasst sich in seinem Werk mit elementaren Erfahrungen des Menschseins. In seinen Theaterstücken und Romanen gewährt er nicht nur Einblick in die Gefühls- und Seelenlage seiner Zeitgenossen, sondern behandelt Fragen, die auch heute noch, mehr als ein halbes Jahrhundert nach seinem Tod, aktuell geblieben sind: Wie verhält sich der Mensch, wenn Druck auf ihn ausgeübt wird? Was ist die Liebe? Wovor haben die Menschen Angst? Was macht sie gewalttätig? Woran halten sie sich, wenn ethische Werte als überholt gelten und Lüge und Dummheit sich breit machen? Wie ist überhaupt eine Erziehung von Jugendlichen zum Humanismus möglich, wenn ihnen maßgebliche Moralbegriffe fremd sind? Welche psychischen und gesellschaftlichen Bedingungen begünstigen die Ausformung einer faschistischen Gesinnung? Wie soll man sich in einer anscheinend gottverlassenen Welt verhalten, wenn man um das Gute weiß, doch beständig Zeuge des Bösen wird? Diese und ähnliche Fragen, von denen einige im Folgenden erörtert werden, bestimmen u. a. auch Horváths Roman *Jugend ohne Gott* (1937).

Einsame Egoisten

Zentrales Thema vieler Stücke Horváths ist der »gigantische Kampf zwischen Individuum und Gesellschaft«: In der *Randbemerkung* zu dem Theaterstück *Glaube Liebe Hoffnung* (1932) bezeichnet er diesen Kampf als das »ewige Schlachten, bei dem es zu keinem Frieden kommen soll – höchstens, daß mal ein Individuum für einige Momente die Illusion des Waffenstillstandes genießt« (GW 2,528). In seinen Werken bestimmen skrupelloses Macht- und Kommerzdenken die zwischenmenschlichen Beziehungen. »[E]ine rein menschliche Beziehung wird erst dann echt, wenn man was von einander hat« (GW 2,17), heißt es etwa in dem Volksstück *Geschichten aus dem Wienerwald* (1931). Und in *Jugend ohne Gott* wendet der Lehrer bei einer Unterredung mit dem Schuldirektor ein, dass einzig und allein das Geld regiere (S. 18,27).

Wiewohl die gesellschaftskritische Einstellung des Lehrers, etwa gegen das Erziehungs- und Bildungswesen, die Medienpolitik, gegen soziale Ungerechtigkeiten und gegen die Haltung der Kirche, aus seinen Gedankengängen zu schließen ist, verhält er sich zunächst aus Angst vor dem Verlust seiner materiellen Existenzbasis und im Zuge einer religiös-moralischen Krise konformistisch und verrät dabei seine humanistische Grundeinstellung. Die Schule, in der er lehrt, ist zu einem Werkzeug der herrschenden Diktatur verkommen. Ihre Aufgabe ist es, die Gymnasiasten zu Rassenhass, unbedingtem Gehorsam und zum Krieg zu erziehen. Jeglicher Individualismus muss unterdrückt werden, um ihnen Gemeinschaftssinn, absoluten Gehorsam, totale Unterordnung und Selbstaufgabe einimpfen zu können. Liebesbriefe, Gedichte, Tagebücher, Selbstreflexion, sexuelle Neugier, erste Liebe haben in der »paramilitärischen Tauglichkeitsideologie« des totalitären Staats keinen Platz: »Liebe ist sachlich, meinen die Buben, eine überschätzte Sache (eine gute Zigarette bedeutet ihnen mehr) – eine normale körperliche Funktion. Und die Mädchen? Sie ziehen in militärischer Ordnung« (Birbaumer, S. 122).

Der Lehrer bemerkt zwar die zunehmende Geringschätzung ethisch-zwischenmenschlicher Normen und die Destruktivität seiner Zöglinge, die selbst elementare Regeln der Fairness und des Anstands missachten (S. 12,27–14,4), doch anstatt Gegenstrategien zu entwickeln, reagiert er zunächst nur resignierend und misanthropisch (S. 20,27). Der Preis für die allgemeine Unterwerfung und Selbstaufgabe ist allerdings hoch: »Wir sind alle verseucht, Freund und Feind. Unsere Seelen sind voller schwarzer Beulen, bald werden sie sterben. Dann leben wir weiter und sind doch tot« (S. 22,15–17). So leistet auch die Schule bei Horváth ihren Beitrag zur geistigen und sittlichen Verwahrlosung der Jugend.

Da die Erwachsenen kapitulieren, kann das entstehende Wertevakuum von den hohlen Phrasen, rassistischen Sentenzen und chauvinistischen Schlagworten der massenmedial vermittelten Propaganda aufgefüllt werden. Wer mit vorgefertigten und inhaltsleeren Sprachmustern aufgewachsen ist, kann nur unter Mühen eine eigene Individualität und Identität entwickeln. Denk- und Urteilsvermögen werden eingetauscht gegen einen unspezifischen Formelschatz, aus dem sich wahllos zitieren lässt.

In *Jugend ohne Gott* wird geschildert, warum und mit welchen Methoden es dem Regime gelingt, die Heranwachsenden für sein Gedankengut zu begeistern. Horváths Hauptkritik richtet sich dabei freilich nicht nur gegen den Lehrer, der mit summarischen, simplifizierenden Verurteilungen der Schüler aufwartet, sie politisch dämonisiert und über die Buchstabenkürzel entindividualisiert, sondern auch gegen die Eltern der Jugendlichen: Die Familie als wichtigste Sozialisationsinstanz hat augenscheinlich versagt. Niemand steht der heranwachsenden Generation beim Übergang in den Erwachsenenstatus und beim Aufbau eines stabilisierten Identitätsgefühls bei. Die Eltern – entweder dezidierte Anhänger der Diktatur oder stillschweigende Gegner – verhalten sich egoistisch oder sind nur mit sich selbst beschäftigt. Ein wirkliches Familienleben findet nicht statt. Das zeigt sich insbesondere bei Z und seiner Mutter. Hinter der Fassade bürgerlich-wohlgeordneter Verhältnisse kommen eine zänkische, egozentrische, eifersüchtige und larmoyante Frau, die nur verächtlich von ihrem verstorbenen Mann spricht, und ein seelisch vernachlässigter und vereinsamter Junge zum Vorschein. Ähnliche Verhältnisse herrschen in der großbürgerlichen Familie von T, dessen Eltern über ihren Geschäften und Vergnügungen keine Zeit für ihren Sohn finden. Nicht aus einem Affekt heraus – aus Hass, Neid oder Ablehnung – bringt T schließlich kaltblütig seinen Mitschüler um, sondern aus fast ›wissenschaftlicher‹ Neugierde und in der zynischen Absicht, einen Menschen sterben zu sehen.

Dem Lehrer und Icherzähler erging es in seiner Kindheit auch nicht viel besser. Wenn er sich an seine frommen Eltern erinnert, fallen ihm eine keifende Mutter und ein schimpfender Vater ein (S. 91,13). Seinen Identitätsproblemen, seiner Gottlosigkeit, seiner Einsamkeit und Isolation versucht er in den Kneipen zu entfliehen. Allerdings zeitigen die Gefühlskälte und Versäumnisse der Eltern seiner Schüler nun ganz andere Folgen als bei ihm: Normale pubertäre Verfehlungen verbinden sich unauflöslich mit faschistischem Verhalten. Die meisten Jugendlichen reagieren auf alles mit Hohn, Zynismus, Indifferenz oder Aggressivität. Da sie weder zu Hause noch in der Schule ethisch orientierte Vorbilder vorfinden, folgen sie blindlings der menschenverachtenden Ideologie der Staatsmacht. Nichts ist der heranwachsenden Generation offenbar heilig. »Jugend ohne Gott« heißt in diesem Zusammenhang: Jugend ohne Orientierung, eine bindungs- und haltlose, eine vereinsamte Jugend, die zu allem fähig und zu allem verführbar scheint.

Wahrheitssuche

Verantwortlich für die Orientierungslosigkeit der Jugendlichen sind die Erwachsenen: »Denn nicht nur die Jugend, auch die Eltern kümmern sich nicht mehr um Gott. Sie tun, als wär er gar nicht da« (S. 90,15–16), meint der Inhaber eines Zigarettengeschäftes. Dort begegnet dem Lehrer Gott.

In *Jugend ohne Gott* ist die Suche der Hauptfigur nach Wahrheit eng mit der Suche nach Gott verbunden, daher wird auch die zeitkritische Perspektive des Buchs zunehmend von theologisch-metaphysischen Gedankengängen überlagert: »Der Roman beschreibt seinen Weg zu Gott, einen Weg, der vom Unglauben über die Annahme eines schrecklichen, ungerechten Gottes, dessen Pläne durchkreuzt werden müßten, zu der Erkenntnis führt, daß Gott die Wahrheit und Gerechtigkeit sei, auf die die Menschen vertrauen könnten« (Kaiser, S. 52).

Die Diskussion zwischen Lehrer und Pfarrer bildet dabei den Ausgangspunkt dieser zeitweise wie eine Heiligenlegende anmutenden ›Bekehrungsgeschichte‹. Der Pfarrer führt Gott als »das Schrecklichste auf der Welt« (S. 48,22–23) ein. Der Lehrer macht sich diese Vorstellung zunächst zu Eigen; Gott erscheint ihm als »furchtbar« (S. 75,15) und »erbärmlich«, weder gut noch gerecht (S. 89,17–21). Zum Zeitpunkt des Prozesses hat sich seine Distanz zu Gott bereits wesentlich verringert, doch er »mag ihn nicht« (S. 89,13). Indem er bei der Gerichtsverhandlung unter dem Eindruck seiner Epiphanie, der Gottesvision, die Wahrheit offenbart, indem er seinem Gewissen folgt, ohne Rücksicht auf Nachteile für sich selbst, verliert er nicht nur die Furcht vor Gott und die Angst vor den Reaktionen seiner Umwelt, sondern er kann sich auch aus seiner Isolation und Handlungsunfähigkeit befreien.

Zugleich durchbricht er mit seinem Zeugnis vor dem Tribunal

den Kreislauf von Schuld und neuem Unrecht. Die Wahrheits-
liebe des Lehrers, das Bekenntnis des eigenen Versagens und der
Verstrickung in Schuld, das Bewusstwerden der Verantwortlichkeit vor einer transzendenten, göttlichen Instanz ermutigen
nicht nur Eva zu einer Änderung ihrer Aussage, sondern auch
mehrere seiner Schüler, auf eigene Faust nach dem Mörder zu
suchen. Sie haben inzwischen einen Klub gegründet, der dem
Leitsatz »Für Wahrheit und Gerechtigkeit!« (S. 114,32) verpflichtet ist und damit »die Ideale benennt, die Horváth der faschistischen Inhumanität entgegenstellt« (Kaiser, S. 58).

Das Geständnis und der Selbstmord des T, dessen kalte Augen
auf Gewissenlosigkeit und damit auf Gottesferne schließen lassen, bestätigen »das neugewonnene Vertrauen des Lehrers auf
Gottes Hilfe und Gerechtigkeit« (ebd.). Am Ende des Romans,
nach der Katharsis des Lehrers, seiner Läuterung und Erlösung,
hat sich sein ehemals rational begründeter Moralbegriff
(S. 13,30–14,1) zu einem religiös bestimmten gewandelt und er
hat wieder zu Gott gefunden: »So schaut Gott zu uns herein,
muß ich plötzlich denken. [...] Denn Gott ist die Wahrheit«
(S. 141,26–29).

Die Bedeutung dieser Art von Gotteserkenntnis, die rein gar
nichts mehr mit der konventionellen, naiven Frömmigkeit der
Eltern des Lehrers zu tun hat, sondern zu individual-ethischer
Verantwortlichkeit aufruft, fasst Wolf Kaiser treffend zusammen: »Der Glaube an Gott, einen Gott der Wahrheit und Gerechtigkeit, birgt für Horváth die Möglichkeit einer Moral des
Widerstands« (S. 58).

Ödön von Horváth fühlte sich in seinem gesamten literarischen
Schaffen der Wahrheit verpflichtet. In der *Gebrauchsanweisung*
schreibt er: »Es gibt für mich ein Gesetz und das ist die Wahrheit« (GW 4,860). Die Wahrheit offen zu legen heißt für ihn, das
Bewusstsein seiner Figuren zu demaskieren:

> »Erkenne dich bitte selbst! Auf daß du dir jene Heiterkeit
> erwirbst, die dir deinen Lebens- und Todeskampf erleichtert,
> indem dich nämlich die liebe Ehrlichkeit gewiß nicht über
> dich (denn das wäre Einbildung), doch neben und unter dich
> stellt, so daß du dich immerhin nicht von droben, aber von
> vorne, hinten, seitwärts und von drunten betrachten kannst!«
> (GW 2,529)

2. Entstehungs- und Textgeschichte

Werkbiografische Aspekte

Vorarbeiten zu
Jugend ohne
Gott

Die Vorarbeiten zu *Jugend ohne Gott* – erzählerische Skizzen und ein dramatisches Fragment mit dem Titel *Der Lenz ist da! Ein Frühlingserwachen in unserer Zeit* – lassen sich bis 1933/34 zurückverfolgen, d. h. bis in die Zeit, als Horváth noch vergeblich versuchte, einem Aufführungsverbot in Deutschland zum Trotz, sich in der Theaterlandschaft zu behaupten. Im Februar 1933 hatte Horváth seinen oberbayerischen Wohnort Murnau nach einem Streit mit SA-Lokalgrößen verlassen müssen, war jedoch wiederholt dorthin zurückgekehrt, um u. a. Material für *Der Lenz ist da!* (GA 7,100–116) zu sammeln, zu dem auch ein mehrseitiges Exposé (GA 7,116–121) existiert.

Der Lenz ist da!

Etliche Situationen und Örtlichkeiten aus *Der Lenz ist da!* werden sich später in *Jugend ohne Gott* wiederfinden und stehen in einem direkten Bezug zu Murnau. So wird in dem Dramenentwurf bereits das Zeltlager der Jungen, das Quartier der Mädchen im Schloss, die stillgelegte Fabrik, die jugendliche Räuberbande oder das nächtliche Rendezvous erwähnt. Ulf Birbaumer verweist auf drei dominierende Motivgruppen, die das Dramenfragment mit dem Roman verbinden: erstens »die Hinweise auf einen militaristisch-autoritären Staat« (S. 117); zweitens »das Herunterspielen [der Liebe] auf die bloße Funktionalität«, dem »von Horváth eine andere Liebe [. . .] eine andere Weiblichkeit, durchaus auch die ›emanzipierte‹ Weiblichkeit von Eva/Kitty entgegengestellt« wird (ebd., S. 118); drittens der Bereich von Ökonomie und Sozialem: »aufgelassene Fabrik, unterbezahlte Heimarbeit, Arbeitslosigkeit und Berufsverbote als Folgen einer ausschließlich auf totalen Krieg ausgerichteten Wirtschafts- und Gesellschaftspolitik« (ebd.).

In *Der Lenz ist da!* werden die Jugendlichen durch ihre Dialoge charakterisiert. Durch das Einführen des Icherzählers in *Jugend ohne Gott* erspäht und erhorcht der Lehrer auch Situationen, die für ihn nicht bestimmt sind: »Erst in diesem Zusammenhang scheint Horváth die Idee zum Kriminalfall gekommen zu sein, welcher in der Form im *Lenz* nicht vorkommt« (Haslinger, S. 201).

Weitere Entwürfe für einen Roman mit dem Titel *Auf der Suche nach den Idealen der Menschheit* sind Ende 1935 entstanden und lauten: *Ein Lehrer in heutiger Zeit* und *Ein unbekannter Dichter* (vgl. AJoG, S. 153f.). Dazu ein paar Notizen und der Entwurf zu einem Vorwort:

> »Ich überreiche dies Buch der Öffentlichkeit unserer Zeit. Ich weiss, es wird viel verboten werden, denn es [. . .] handelt von den Idealen der Menschheit. Ein Lehrer, der Lesen und Schreiben lehrt, [. . .] von dem handelt es. Es ist ein Buch gegen die [geistigen] Analphabeten, gegen die, die wohl lesen und schreiben können, aber nicht wissen, was sie schreiben und nicht verstehen, was sie lesen. Und ich hab ein Buch für die Jugend geschrieben, die heute bereits wieder ganz anders aussieht, als die fetten Philister, die sich Jugend dünken. Aus den Schlacken und Dreck verkommener Generationen steigt eine neue Jugend empor. Der sei mein Buch geweiht! Sie möge lernen aus unseren Fehlern und Zweifeln! Und wenn nur einer dies Buch liebt, bin ich glücklich!« (Ebd., S. 154)

Eine handschriftliche Skizze mit der Überschrift *In tiefer Nacht* verdeutlicht Horváths Absicht, einen Lehrer zum Icherzähler seines geplanten Romans zu machen (ebd., S. 155f.). Auf einem anderen Blatt mit der Überschrift *Aufzeichnungen eines Lehrers in unserer Zeit* stehen die Romantitel *Ein Teufel hat Ferien* und *Die [neue] stille Revolution* sowie *77 kleine Märchen aus unserer Zeit*. Die Titel *Gott kommt* und *Die Neger*, die bereits auf den Inhalt von *Jugend ohne Gott* verweisen, sind durchgestrichen.

Ödön von Horváth schrieb *Jugend ohne Gott* im Sommer 1937 in Henndorf bei Salzburg relativ zügig nieder. Der Schriftsteller Franz Theodor Csokor (1885–1969) erwähnt den Roman in einem Brief an den Dramatiker Ferdinand Bruckner (1891–1958) vom 29.1.1937: »Jetzt plant [Horváth] einen Roman über die Jugend unserer Zeit, die er gegenüber ihren Vätern als durchaus reaktionäre Jugend sieht« (AJoG, S. 156). Horváths Freundin Wera Liessem (1913–1992) bestätigte, dass dieses Werk um diese Zeit in Henndorf zumindest »abgeschlossen« wurde:

»[Horváth] war kaum mit dem ersten Band fertig, da wollte er ohne das erste Buch recht auszufeilen schon an *Das Kind unserer Zeit* [1938] heran. Ich erinnere mich an einen Disput zwischen uns, er solle doch erst das erste Buch ganz zu Ende bringen. [. . .] ihm genügte, das erste Buch in Gedanken schon richtig durchgearbeitet zu haben« (ebd., S. 157).

Im Herbst desselben Jahres erschien *Jugend ohne Gott* im Exilverlag Allert de Lange in Amsterdam. Die Erstausgabe warb mit einem Text, der die religiös-metaphysischen und ethisch-moralischen Dimensionen in den Vordergrund rückte:

»Die Tragödie einer Jugend, die, ohne Liebe zu Gott und Achtung vor den Menschen, in Verachtung all dessen aufwächst, was früheren Generationen heilig war. [. . .] Diese seelenlose Verfassung der Jugend, die, abseits von Wahrheit und Gerechtigkeit, in einer unheimlichen Kälte heranwächst, ist die Voraussetzung für ein fürchterliches Verbrechen, das unter Jugendlichen begangen wird. Der Lehrer, dessen Bestimmung es ist, dieses Verbrechen aufzuklären, folgt der Stimme Gottes und findet den Weg zur Wahrheit.«

Motivparallelen und Selbstzeugnisse

In *Jugend ohne Gott* führt Horváth bestimmte Motive der beiden *Sladek*-Stücke, *Sladek oder Die schwarze Armee* und *Sladek, der schwarze Reichswehrmann* (1928/29) weiter aus. Die »Auseinandersetzung zwischen einem individual-ethischen ›Idealismus‹ und einem kollektivistisch-amoralischen ›Realismus‹« (Müller-Funk, S. 162) findet sich hier wie dort. Summarisch lassen sich folgende Merkmale festhalten: »der radikale Versuch, das faschistische Bewußtsein von innen her zu ergründen, die unheimliche Spiegelbildlichkeit der einsamen Kontrahenten [. . .], die radikale Bildlichkeit der Sprache [. . .] und eben jenes ausgeprägte ethische Bewußtsein« (ebd., S. 163f.). Parallelen bestehen auch zwischen den gleichaltrigen Hauptfiguren. Bei ähnlichen Zeiteinflüssen reagieren sie dennoch völlig unterschiedlich auf die politischen Verhältnisse. In einem Interview mit der Berliner Zeitung *Tempo*, das in Anspielung auf den Roman *Jahrgang 1902* (1928) von Ernst Glaeser (1902–1963) un-

Parallelen zu Sladek

ter dem Titel »Typ 1902« am 13.10.1929 erschien, betont Horváth:

> »Sladek ist als Figur ein völlig aus unserer Zeit herausgeborener und nur durch sie erklärbarer Typ. [...] Ein ausgesprochener Vertreter jener Jugend, jenes ›Jahrgangs 1902‹, der in seiner Pubertät die ›große Zeit‹, Krieg und Inflation, mitgemacht hat, ist er der Typus des Traditionslosen, Entwurzelten, dem jedes feste Fundament fehlt und der so zum Prototyp des Mitläufers wird. Ohne eigentlich Mörder zu sein, begeht er einen Mord. Ein pessimistischer Sucher, liebt er die Gerechtigkeit – ohne daß er an sie glaubt, er hat keinen Boden, keine Front. [...] Da ich die Hauptprobleme der Menschheit in erster Linie von sozialen Gesichtspunkten aus sehe, kam es mir bei meinem ›Sladek‹ vor allem darauf an, die gesellschaftlichen Kräfte aufzuzeigen, aus denen dieser Typus entstanden ist.«

Die Uraufführung von *Sladek, der schwarze Reichswehrmann* fand als Matinée am selben Tag statt und provozierte heftige Angriffe der Nationalsozialisten.

Auch Ödön von Horváth, der in den Metropolen der alten österreichisch-ungarischen ›kaiserlich und königlichen‹ (k.u.k.) Doppelmonarchie aufwuchs, gehört der Zwischenkriegsgeneration an, die für die Schützengräben des Ersten Weltkrieges noch zu jung war, aber die Brutalität des Krieges bewusst miterlebte. In einem Interview vom April 1932 gesteht Horváth: »Der Weltkrieg verdunkelt unsere Jugend und wir haben wohl kaum Kindheitserinnerungen« (GW 4,875). In der *Autobiographischen Notiz* (1927) präzisiert er:

autobiografische Bezüge

> »Als der sogenannte Weltkrieg ausbrach, war ich dreizehn Jahre alt. An die Zeit vor 1914 erinnere ich mich nur, wie an ein langweiliges Bilderbuch. Alle meine Kindheitserlebnisse habe ich im Kriege vergessen. Mein Leben beginnt mit der Kriegserklärung. [...] Wir, die wir zur großen Zeit in den Flegeljahren standen, waren wenig beliebt. Aus der Tatsache, daß unsere Väter im Felde fielen oder sich drückten, daß sie zu Krüppeln zerfetzt wurden oder wucherten, folgerte die öffentliche Meinung, wir Kriegslümmel würden Verbrecher werden. Wir hätten uns alle aufhängen dürfen, hätten wir

nicht darauf gepfiffen, daß unsere Pubertät in den Weltkrieg fiel. Wir waren verroht, fühlten weder Mitleid noch Ehrfurcht. Wir hatten weder Sinn für Museen noch die Unsterblichkeit der Seele – und als die Erwachsenen zusammenbrachen, blieben wir unversehrt. In uns ist nichts zusammengebrochen, denn wir hatten nichts. Wir hatten bislang nur zur Kenntnis genommen« (GW 4,825).

Der Erste Weltkrieg hinterlässt in der Psyche der Protagonisten seiner beiden letzten Romane schwere Spuren. Im Lehrer aus *Jugend ohne Gott* zerstört die Kriegserfahrung das Gottvertrauen (S. 43,15–17). Und der Soldat in *Ein Kind unserer Zeit* (1938) – Prototyp des Soldaten im totalitären Staat – endet schwer verwundet als Schneemann auf einem Friedhof.

Parallelen zu *Der Fall E.* Das etwa 1930 entstandene Dramenfragment *Der Fall E.* weist ebenfalls motivliche Entsprechungen zu *Jugend ohne Gott* auf. Horváth ließ sich von authentischen Vorkommnissen zu diesem Fragment anregen. Am 27.6.1930 war die Regensburger Lehrerin Elly Maldaque aufgrund ihrer Mitgliedschaft in der Kommunistischen Partei Deutschlands mit sofortiger Wirkung vom Schuldienst suspendiert worden. Wenige Tage später wurde sie in die Heil- und Pflegeanstalt Karthaus-Prüll bei Regensburg zwangseingewiesen und starb dort am 20.7.1930 an »centraler Pneumonie« und »Herzinsufficienz« (vgl. HC, S. 61f.). Der Fall wurde in der Presse ausführlich diskutiert. Die *Weltbühne* vom 12.8.1930 schrieb über »die Tragödie der Lehrerin Maldaque«: »Verfolgt und gehetzt, Tag und Nacht von den Spitzeln gegenüber beobachtet, einen Monat vor der lebenslänglichen Anstellung mittellos auf die Straße gesetzt, brach die Lehrerin körperlich und seelisch zusammen. In wenigen Tagen wurde aus der bis dahin Gesunden ein von den Furien der Verfolgung gepeitschtes Wesen.«

Dieser Bericht diente Horváth als Grundlage für das Fragment *Der Fall E.*

autobiografische Bezüge Parallelen zu *Jugend ohne Gott* finden sich indes nicht nur in Ödön von Horváths Werk, sondern auch in seiner Biografie. Obwohl er öffentlich gegen den Nationalsozialismus Stellung bezogen hatte und obwohl seine Stücke deshalb auf deutschen Bühnen nach der Machtergreifung nicht mehr aufgeführt worden waren, trat er am 11.7.1934 in den nationalsozialistisch geführten Reichsverband Deutscher Schriftsteller (RDS) ein und wurde dadurch Mitglied der Reichsschrifttumskammer. Die Hoffnung auf Aufhebung des Bühnenverbots erfüllte sich jedoch nicht, und so zahlte Horváth bereits ab dem 1.1.1935 keine Mitgliedsbeiträge mehr und wurde am 24.2.1937 aus der Mitgliederliste des RDS gestrichen. Die grundsätzliche Wandlung des Lehrers in *Jugend ohne Gott* vom angepassten Opportunisten zum wahrheitsliebenden Emigranten trägt also sicherlich autobiografische Züge.

Im November 1937 geht Horváth hart mit sich ins Gericht, als er sich die Aufgabe stellt, »frei von Verwirrung die Komödie des Menschen zu schreiben, ohne Kompromisse, ohne Gedanken ans Geschäft«. Denn, so Horváth weiter:

> »Es gibt nichts Entsetzlicheres als eine schreibende Hur. Ich geh nicht mehr auf den Strich und will unter dem Titel ›Komödie des Menschen‹ fortan meine Stücke schreiben, eingedenk der Tatsache, daß im ganzen genommen das menschliche Leben immer ein Trauerspiel, nur im einzelnen eine Komödie ist« (GW 4,869f.).

Dieser Entschluss markiert wohl den Beginn seiner eigentlichen Emigration und machte ihm schwer zu schaffen:

> »Horváth, der irgendwie ein Konvertit für Deutschland war, er bekannte sich freiwillig zu diesem Land, war aus dem gleichen Grund viel tiefer verletzt als die anderen. Er erniedrigte sich vor sich selbst in diesem Land, jetzt sagte er sich von diesem Land ein für allemal los, mit einem so grandiosen Schuldbekenntnis, wie es in der Literatur des 20. Jahrhunderts nicht viele gibt« (Kun, S. 17).

In *Jugend ohne Gott* war er kein Beobachter mehr, sondern bezog Stellung gegen Hitler-Deutschland. Am 10.1.1938 wird der Roman auf die »Liste des schädlichen und unerwünschten Schrifttums« gesetzt. Am 14.3.1938 ergeht an die Geheime Staatspolizei der Befehl, »die etwa im Reichsgebiet auftauchenden Exemplare [...] einziehen und sicherstellen zu wollen« (HJoG, S. 253). Für Horváth gab es kein Zurück mehr. Auch wenn ihm die Emigration nicht leicht fiel, bekennt er sich am 23.3.1938 in einem Brief an Csokor offensiv zu seiner Entwurzelung:

Verbot des Romans

»Gott, was sind das für Zeiten! Die Welt ist voller Unruhe, alles drunter und drüber, und noch weiß man nichts Gewisses! Man müßte ein Nestroy sein, um all das definieren zu können, was einem undefiniert im Wege steht! Die Hauptsache, lieber guter Freund, ist: Arbeiten! Und nochmals: Arbeiten! Und wieder: Arbeiten! Unser Leben ist Arbeit – ohne ihr haben wir kein Leben mehr. Es ist gleichgültig, ob wir den Sieg oder auch nur die Beachtung unserer Arbeit erfahren – es ist völlig gleichgültig, solange unsere Arbeit der Wahrheit und der Gerechtigkeit geweiht bleibt. So lange gehen wir auch nicht unter, so lange werden wir auch immer Freunde haben und immer eine Heimat, überall eine Heimat, denn wir tragen sie mit uns – unsere Heimat ist der Geist« (vgl. Krischke 1980, S. 255f.).

Für den Emigranten Horváth wird das Leben auf der Flucht zum existentiellen Problem. In der geplanten Autobiografie mit dem Titel *Adieu Europa* stellt er kurz vor seinem Tod am 1.6.1938 die Frage: »Warum mußt ich eigentlich weg von zuhaus? Wofür bin ich denn eingetreten? Ich hab nie politisiert. Ich trat ein für das Recht der Kreatur. Aber vielleicht wars meine Sünde, daß ich keinen Ausweg fand?« (Horváth-Blätter 1/83, Göttingen 1983, S. 11)

Erziehung zum Krieg

Jugend ohne Gott könnte in Hitler-Deutschland, aber ebenso in jeder anderen militaristisch-kollektivistischen Diktatur spielen. Horváth legt sich in der Ortswahl nicht fest, auch wenn der Roman zahlreiche konkrete Hinweise auf die Verhältnisse in Deutschland während der NS-Zeit enthält.

Der Nationalsozialismus strebte nach totaler Erfassung aller junger Menschen, um sie für die eigenen Staatsziele verfügbar zu machen. Besonders die außerschulische Erziehung in der Hitlerjugend (HJ) sollte eine lückenlose Indoktrination und Kontrolle sicherstellen, um die Jugendlichen auf ihre Aufgabe als »künftige Träger des Reiches« vorzubereiten. Der ideale Hitlerjunge musste seine Fähigkeiten vollkommen in den Dienst des Dritten Reiches stellen und dem »Führer« Adolf Hitler (1889–1945)

Hitlerjugend

bedingungslosen Gehorsam und Aufopferung bis in den Tod geloben. In einer Rede Hitlers vom 2.12.1938 heißt es:

>Diese Jugend lernt ja nichts anderes als deutsch denken, deutsch handeln, und wenn diese Knaben mit 10 Jahren in unsere Organisation hineinkommen und dort oft zum ersten Mal überhaupt frische Luft bekommen und fühlen, dann kommen sie vier Jahre später vom Jungvolk in die Hitlerjugend, und dort behalten wir sie wieder vier Jahre. Und dann geben wir sie erst recht nicht zurück in die Hände unserer alten Klasse und Standeserzeuger, sondern dann nehmen wir sie sofort in die Partei, in die Arbeitsfront, in die SA oder in die SS, in das NSKK und so weiter. [. . .] und sie werden nicht mehr frei ihr ganzes Leben« (zit. n. *Völkischer Beobachter*, 4.12.1938).

Und in einem Gespräch mit Hermann Rauschning (1887–1982) erklärte Hitler:

>Meine Pädagogik ist hart. Das Schwache muß weggehämmert werden. In meinen Ordensburgen wird eine Jugend heranwachsen, vor der sich die Welt erschrecken wird. Eine gewalttätige, herrische, unerschrockene, grausame Jugend will ich. [. . .] Ich will keine intellektuelle Erziehung. Mit Wissen verderbe ich mir die Jugend. Am liebsten ließe ich sie nur das lernen, was sie ihrem Spieltriebe folgend sich freiwillig aneignen« (Rauschning, S. 237).

Die Nationalsozialisten missbrauchten nicht nur den jugendlichen »Spieltrieb« und die Abenteuerlust für ihre Zwecke (S. 31,26–32,8), sondern nutzten auch die Begeisterungsfähigkeit der Halbwüchsigen geschickt aus und organisierten Massenveranstaltungen, die dem einzelnen das Gefühl vermitteln sollten, Teil eines »großen Ganzen« sein zu dürfen. Die professionelle Art der Inszenierung – Fahnenkompanien, Musikzüge, Fackelaufmärsche, Menschenblöcke der Wehrmacht und die weiträumigen Dimensionen der Kundgebungsplätze – verfehlte selten ihre Wirkung auf die anwesenden Jugendlichen. In *Jugend ohne Gott* wird etwa der »Geburtstag des Oberplebejers« in dieser Weise begangen (S. 106,16–31).

Zeitungsberichte, persönliche Erlebnisse und Erfahrungen, Beobachtungen und Gespräche bilden den Fundus, aus dem Ödön von Horváth schöpfte. Anregungen ganz besonderer Art erhielt er in seinem langjährigen Wohnort Murnau, wo er mit Vorliebe in Gaststätten und Biergärten saß, in denen die einfachen Leute verkehrten, ihnen zuhörte und sich seine Notizen machte:

> »Auf losen Zetteln, in kleinen Notizbüchern, zwischen Adressen, Telephonnummern und privaten Aufzeichnungen finden sich Pläne, Titel, Konzepte, Dialogfetzen, die später einmal in einem Manuskript wieder aufscheinen. Die Wurzeln der meisten seiner Stücke sind in den Skizzen jener Jahre zu finden« (Krischke 1980, S. 71).

Wie bereits in seinen Theaterstücken *Zur Schönen Aussicht* (1926) und *Italienische Nacht* (1931) sowie in mehreren Prosaskizzen, ließ sich Horváth in *Jugend ohne Gott* von Details eines ihm vertrauten Milieus anregen.

Horváth und die Nationalsozialisten

Horváths leicht bohemienhafter Lebensstil passte von Anfang an nicht so recht ins Murnauer Ortsbild. Zunächst wurde der Diplomatensohn aber durchaus respektiert, denn die Familie galt als »etwas Besseres«. Das Verhältnis zu den Einwohnern verschlechterte sich freilich, als die NSDAP an Einfluss gewann. Die Marktgemeinde zählte schon lange vor der Machtergreifung am 30.1.1933 zu den »Nazihochburgen«. Bei der Reichstagswahl am 14.9.1930 wählten 35,8% der Einwohner die NSDAP; bei der Reichstagswahl am 31.7.1932 waren es 41,4%, und bei der bereits im Zeichen der Diktatur stehenden Reichstagswahl am 5.3.1933 waren es 52,8% (vgl. Tworek-Müller 1988, S. 49). Dass Horváth öffentlich Stellung gegen den Nationalsozialismus bezog, machte ihn vielen Einheimischen verdächtig. Einen nicht mehr zu kittenden Riss aber erhielt die Beziehung, als er am 20.7.1931 vor dem Weilheimer Amtsgericht gegen einige Nationalsozialisten, die am 1.2.1931 in der Gaststätte »Kirchmeier« eine öffentliche Versammlung der SPD gesprengt hatten, aussagte, denn, so der *Staffelsee-Bote* vom 2.2.1931: »Die Sympathie ist hier in Murnau unbedingt auf Seiten der Nationalsozialisten.« Rainer Schlösser (1899–1945), Kultur-Schriftleiter des *Völkischen Beobachters* und späterer NS-Reichsdramaturg, bezeichnete am 19.11.1931 im *Völkischen Beobachter* Horváth als »Salonkulturbolschewisten«, der »deutschen Menschen nichts, aber auch gar nichts zu sagen hat«.

Ein Streit in seinem Stammlokal »Hotel Post« zwang Horváth zwei Jahre später, Murnau noch in derselben Nacht zu verlassen. Er hatte sich während der Rundfunkübertragung der ersten Rede Hitlers aus dem Berliner Sportpalast am 10.2.1933 mit SA-Leuten angelegt und musste unter »Geleitschutz« nach Hause gebracht werden. Um den Schriftsteller einzuschüchtern, durchsuchten SA-Leute in seiner Abwesenheit die Villa der Eltern. Auf eine Anfrage der Bayerischen Politischen Polizei »Betreff: K.P.D.« teilte die örtliche Polizeibehörde am 18.1.1935 mit, dass Horváth »einige Tage nach dem 30.6.1933 Murnau verlassen und sich seitdem hier nicht mehr [hat] sehen lassen«. In dem der Anfrage beigefügten »Verzeichnis aller Kommunisten, die anläßlich der nationalen Erhebung flüchtig gegangen sind«, meldete die örtliche Gendarmerie an das Bezirksamt Weilheim einzig und allein »Edmund v. Horwath, Schriftsteller, geb. am 9.12.01 zu Fiume, ungarischer Staatsangeh., zuletzt wohnhaft in Murnau«.

Auch den Eltern, Maria Hermine von Horváth geb. Prehnal (1882–1959) und Edmund Josef von Horváth (1874–1950), war Murnau zu gefährlich geworden, und sie verkauften Ende Dezember 1933 die Villa. Ödön von Horváth hielt sich jedoch noch 1934 zeitweise in Murnau auf, als man ihn offiziell schon zu den Emigranten rechnete. So meldete er sich am 8.2.1934 im Wiener »Hotel Bristol« »aus Murnau kommend« an (vgl. HC, S. 107).

Das Zeltlager

Zu diesem Zeitpunkt waren in Murnau die Vorbereitungen zum 1. Hochlandlager der Hitlerjugend voll im Gange. Das Zeltlager wurde vom 4. bis 28.8.1934 in der Gegend um Aidling bei Murnau errichtet. Das *Murnauer Tagblatt* berichtete über Monate hinweg fast täglich darüber. Obergebietsführer Emil Klein erläutert im Sonderheft *Unser Hochlandlager 1936* Ziel und Zweck des Lagers:

»Immer mehr rückt das Leben im Lager in den Mittelpunkt nationalsozialistischer Jugenderziehung. Wenn auch das Lagerleben an sich nichts neues bedeutet, so ist es doch zum erstenmal in der Geschichte einer Jugendbewegung, daß die Jugend eines ganzen Volkes seinen Erziehungsweg durch das Lager nimmt. Die neue deutsche Jugendbewegung sieht ihre einzigartige Erscheinung in der Tatsache, daß sie den Jungen nicht zum schutzsicheren Rekruten nach den Richtlinien einer vormilitärischen Jugendertüchtigung erzieht, sondern in erster Linie die hohen und charakterlichen Werte weckt und pflegt, die in jedem deutschen Jungen schlummern mit dem Ziele, aus jedem Jungen einen politischen Willensträger Adolf Hitlers zu erziehen. [. . .] Das Hochlandlager 1934 bei Murnau war der erste aber auch schon gelungene Versuch eines nationalsozialistischen Jugendgroßlagers. Bedeutend in der Form, weil 6 000 Jungen vier Wochen im Zeltlager verbrachten, ohne des Lagerlebens selbst bei ungünstiger Witterung, müde zu werden. Neu im Inhalt, weil die ganze Mannschaft nach einem genau festgelegten aufbauenden Lehrplan körperlich und geistig-weltanschaulich ausgerichtet wurde« (S. 3f.).

Auf dem Spruchband über dem »Thingplatz« stand in Frakturschrift: »Wir sind zum Sterben für Deutschland geboren.«

Die marschierende Venus

Auch die Mädchen mussten während des Dritten Reiches ihren »Dienst am Vaterland« leisten, im »Jungmädelbund in der HJ« (10–14 Jahre) und im »Bund Deutscher Mädel in der HJ« (14–21 Jahre). In der Nähe von Bad Tölz, 30 km von Murnau entfernt, wurde 1937 das erste »Mädellager Hochland« errichtet, an dem 800 Mädchen »aus dem Obergaubereich« teilnahmen. Eine Werbeschrift gibt über das Ziel dieses Lagers Auskunft:

»Wir denken an jene eindrucksvolle Stunde, in der wir mit

den Lehrern aus der Ostmark zusammen um das Feuer standen und Springenschmid von den gefallenen Kameraden erzählte. Waren die Feiern der tiefe Ausdruck aller Gedanken, die diesem Lager seinen Sinn gaben, so brachten die Wettspiele, der Sport, die Gymnastik, die Lieder und Tänze, die Märchenspiele und der Lagerzirkus Freude und Stimmung in das Lager und halfen so, das natürliche, fröhliche, fest im Leben stehende Mädel zu formen« (Hartmann, S. 10).

Die Mädchen lernen, singend im Gleichschritt zu gehen: »Als wir aus Tölz hinausmarschieren, liegt schon eine leise Dämmerung über dem Land. [...] Lied um Lied singen wir« (ebd., S. 50). In *Jugend ohne Gott* durchstreifen »etwa zwanzig Mädchen«, in militärischer Ordnung und Soldatenlieder singend, das unwegsame Gelände auf der Suche nach einem »verschollenen Flieger«. »Verschwitzt, verschmutzt und ungepflegt, bieten sie dem Betrachter keinen erfreulichen Anblick« (S. 37,1–2). Dem Lehrer gegenüber betont die Lehrerin der Mädchen, dass diese »mehr Wert auf das Leistungsprinzip als auf das Darbietungsprinzip« legen (S. 37,6–7).

Die wechselvolle Geschichte der »Evangelischen Privaten Höheren Mädchenschule des Evangelischen Schulvereins Murnau« hat möglicherweise Horváth zur literarischen Gestaltung der »marschierenden Venus« inspiriert. Die Schule wurde 1924 auf Initiative rühriger Eltern gegründet und war zunächst im Schloss Neu-Egling untergebracht, ganz in der Nähe des späteren Jugendlagers, bevor sie im Dezember 1925 nach Murnau in das ehemalige Krankenhaus verlegt wurde. Dort richtete man im Oktober 1933 zusätzlich für 50 Mädchen ein Arbeitsdienstlager ein mit der Aufgabe, Kleidung und Wäsche für die männlichen Arbeitslager in Ordnung zu halten. Für die Mädchenschule, die der evang. Pfarrer Bauer 1925–1936 leitete, wurde es in den Räumlichkeiten zu eng. Deshalb sollte sie von Murnau als gemeindliche Anstalt übernommen werden und – um ein NS-Landerziehungsheim für Mädchen und um eine Frauenschule erweitert – in die ehemalige Villa des Architekten Emanuel von Seidl (1856–1919) umziehen. Der Prospekt, der hüpfende BDM-Mädchen vor dem Seidlschen Anwesen zeigt, war schon gedruckt und verbreitet worden, als das Vorhaben mangels

Mädchenschule

finanzieller Mittel kurzfristig aufgegeben wurde (Akte: Private höhere Mädchenschule des Schulvereins Murnau, Nr. AXIII, Archiv der Marktgemeinde Murnau).

Vorbilder

In Murnau verkehrte Ödön von Horváth regelmäßig mit einigen Personen, die für die Gestaltung Julius Caesars, des Lehrers und des Pfarrers Modell gestanden haben dürften. Sie bilden in *Jugend ohne Gott* das Triumvirat der Außenseiter, denen eine kritische Haltung gegenüber dem herrschenden Regime gemeinsam ist.

Julius Caesar gilt als eine »gestrandete Existenz« (S. 24,29–30). Wegen einer Affäre mit einer minderjährigen Schülerin wurde er vom Lehrdienst suspendiert. Er treibt sich v. a. in anrüchigen Lokalen herum und verdient seinen Lebensunterhalt als Hausierer. Laut Horváths Bruder Lajos (1903–1968) war der Hauptlehrer Ludwig Köhler (1884–1942) für diese Figur das Vorbild. Köhler unterrichtete von 1914 bis 1926 an der Volksschule in Altenau, das 15 km von Murnau entfernt liegt. Wegen »progressiver Gehirnparalyse« musste er wiederholt in die Psychiatrie eingeliefert werden und schließlich aus dem Schuldienst ausscheiden (Personalakten 13321, Staatsarchiv München). 1926 ließ sich der Frühpensionist in Murnau nieder, wo er im »Hotel Post« häufig mit Horváth zusammentraf und sich mit ihm angeblich über schulische und erotische Belange unterhielt. Er wird im Fragment *Adieu Europa!* namentlich genannt und taucht auch verschlüsselt im *Schlamperl*-Fragment (1933) auf.

Hauptfigur von *Jugend ohne Gott* ist ein 34-jähriger Gymnasiallehrer für Geschichte und Geografie. Mutmaßliches Vorbild für ihn war der Volksschullehrer und spätere Schulrat Dr. Leopold Huber (1893–1990). 1926 wurde er von Dachau nach Murnau versetzt und engagierte sich sogleich als Mitglied der Bayerischen Volkspartei (BVP) im Gemeinderat. Horváth und Huber saßen oft gemeinsam beim »Kirchmeier« und politisierten. Wegen seiner aufrechten demokratischen Gesinnung und seiner liberalen Erziehungsgrundsätze geriet Huber im Februar 1933 – fast zeitgleich mit Horváth – ins Schussfeld der örtlichen

Vorbild für Julius Caesar

Vorbild für den Lehrer

NSDAP, als er sich im *Weilheimer Tagblatt* entschieden gegen die Beflaggung Murnaus mit Hakenkreuzfahnen aussprach. Kurz darauf landeten faustdicke Steine in Hubers Schlafzimmer. Er wurde für mehrere Wochen in sog. »Schutzhaft« nach Landsberg/Lech genommen. Mitte Juni 1933 wurde auf sein Haus geschossen. Der Ortsgruppenleiter der NSDAP Köhler forderte in einem Brief vom 28.7.1933: »Der Dr. Huber ist umgehend von Murnau nach einem anderen Ort zu versetzen. Ein weiterer Aufenthalt in Murnau ist untragbar. Bleibt Huber weiter in Murnau so haften wir für nichts.« Denn seiner Meinung nach »missbrauchte [Huber] auch sein Amt als Lehrer [!] indem er auch die Schulkinder zu Gegner [!] unserer Bewegung erzog«. Eine Woche später bekräftigte er seine Forderung: »Wir dulden auf keinen Fall, daß ein Lehrer, der zur Erziehung der Kinder da ist, sich in vergangener Zeit in Wort und Schrift gegen die NS-Bewegung hervorgetan hat, in einer nationalsozialistischen Hochburg ein öffentliches Lehramt bekleiden darf« (Archiv der Marktgemeinde Murnau). Der Besonnenheit der Regierung von Oberbayern war es zu verdanken, dass Huber »nur« an eine Dorfschule im nahe gelegenen Aidling versetzt wurde.

Dort lebte 1930–1940 auch Pfarrer Karl Bögner (1883–1970), den Horváth vom Stammtisch her kannte und der gewisse Ähnlichkeiten mit dem Geistlichen in *Jugend ohne Gott* aufweist. In Aidling hält sich bis heute hartnäckig das Gerücht, dass er dorthin »strafversetzt« worden sei. In seiner vorherigen Pfarrei Gundamsried, wo er seit 1914 gewirkt hatte, wurde behauptet, er »sei sehr nachlässig im Religionsunterricht und gebrauche Reden, die auf Mangel an Glauben schließen lassen«, er »betreibe mehr Ökumene«, »lasse alles gehen, wie es geht«. Während der Revolution habe er bei einer sozialdemokratischen Versammlung als Redner auftreten wollen; auffällig sei seine »unklerikale Lebensführung«. Auch nehme er es mit dem Zölibat nicht so genau. Diese Unterstellungen, von denen sich nicht eine einzige beweisen ließ, führten zu seinem Wunsch nach Versetzung, dem 1930 stattgegeben wurde (Personalakte 1245, Archiv des Bistums Augsburg).

Vorbild für den Pfarrer

Das Sägewerk

In *Jugend ohne Gott* wird berichtet, dass in dem Dorf nahe des Zeltlagers erhebliche Not herrsche, da das größte Sägewerk im Bezirk aus Rentabilitätsgründen ein Jahr zuvor stillgelegt worden war (S. 32,35–33,3). In der Tat mussten Anfang der Dreißigerjahre auch in Murnau und Umgebung mehrere Sägewerke schließen. So wurde im August 1932 die Zweigstelle der Münchner Holzfirma Th. Kirch und Söhne in Altenau aufgegeben (vgl. *Ammergauer Bote*, 5.9.1932).

In Murnau trieb der Zusammenbruch der örtlichen Kapfer-Bank im Juli 1931 zudem viele mittelständische Betriebe in den Ruin. Zwangsvollstreckungen und Entlassungen nahmen drastisch zu. Die allgemeine Not war allenthalben sichtbar. Nichtsdestotrotz meldete das *Murnauer Tagblatt* am 16.3.1934 stolz: »Murnau ist frei von Arbeitslosen.«

Der Raubmord

Kurze Zeit zuvor, am 8.3.1934, geschah in einem Blockhaus bei Murnau ein Raubmord. Es ist davon auszugehen, dass Horváth, den Kriminalfälle von jeher faszinierten und der sich in seinem Werk wiederholt mit Mord und Totschlag beschäftigt hatte – *Mord in der Mohrengasse*, *Die Bergbahn* (1926/27), *Sladek, der schwarze Reichswehrmann*, *Geschichten aus dem Wienerwald* –, den Vorfall in der Lokalpresse verfolgte. Das Opfer war der 42-jährige Kriegsinvalide und Jäger Johann Brey aus Hagen bei Murnau, Täter ein 20-jähriger arbeitsloser Schreiner namens Georg Göller (vgl. *Münchner Neueste Nachrichten*, 10.5.1934). Ende Mai 1934 wurde er zum Tode verurteilt und am 21.9.1934 in der Justizvollzugsanstalt Stadelheim enthauptet. Während Göller auf seine Hinrichtung wartete, verfasste er einen Lebenslauf: Der Vater kehrte 1918 blind aus dem Ersten Weltkrieg zurück. Als sich die Mutter daraufhin scheiden ließ, wurden Göller und seine drei Geschwister in ein Erziehungsheim gesteckt.

»Mit 6 Jahren kam ich in die Volksschule. Leider wurde ich von der Haushälterin, welche mein Vater vom Blindenheim mit heimbrachte und 1923 heiratete, zum Stehlen angelernt, wodurch meine Unterbringung in ein Erziehungsheim in Schwarzenbach a. d. Saale erforderlich wurde. Nach 2 Jahren holte mich mein Vater wieder heim. Nachdem ich meine Schulzeit beendet hatte, besuchte ich den Schreinerkurs, wobei ich auch noch das Schreinerhandwerk erlernte. Nach 4 jährlicher [!] Arbeitszeit wurde ich im Frühjahr 1932 arbeitslos« (vgl. JVA München-Stadelheim 217, Staatsarchiv München).

Er begab sich auf Wanderschaft und fand im August 1933 in Murnau wieder eine Anstellung: »Jedoch kam ich dortselbst in schlechte Gesellschaft, vertrank meinen ganzen Arbeitslohn und machte am Ende noch Schulden. Zum Unglück wurde ich arbeitslos« (ebd.). Göller ging bei der Ermordung des Invaliden ebenso kalt, brutal und berechnend vor wie die emotional verrohte Romanfigur T, führt aber Geldnot als Tatmotiv an:

»Den getöteten Jäger Hans Brey lernte ich beim Kartenspiel im Wirtshaus in Murnau kennen. Ich sah bei dieser Gelegenheit eine größere Geldsumme bei ihm. Als ich dann arbeitslos wurde, faßte ich am 5.3.34 den Plan mir durch Ermordung des Brey [!] Geld zu verschaffen. [...] Am Donnerstag 8.III.34 ging ich abermals zu ihm, half ihm wieder bei der Arbeit und schlug ihn mit seinem eigenen Beil in seiner Werkstätte im Keller, als er am Boden kniete, von rückwärts auf den Kopf. Er fiel auf den ersten Hieb um. Ich gab ihm noch 4 weitere Hiebe bis er sich nicht mehr rührte. Die Leiche ließ ich liegen und durchsuchte dann das Haus nach Geld. Ich fand 50 M und einen Revolver und ging damit in meine Logie in Murnau« (Georg Göller, Mein Lebenslauf (Ergänzung), JVA München-Stadelheim 217, Staatsarchiv München).

Ein Wachmeister der JVA Stadelheim attestierte dem Gefangenen in einem Bericht vom 28.5.1934 absolute Gefühlskälte:

»Seine Führung ist hausordnungsgemäß. An ihn gerichtete Fragen beantwortet er in ruhigem nicht unfreundlichem Ton mit einem kurzen Ja oder Nein. [...] Gemütsbewegungen oder andere Anzeichen, welche auf Reue über seine Tat schließen lassen, sind an ihm nicht zu beobachten« (ebd.).

3. Rezeption

Unmittelbare Reaktionen im In- und Ausland

Übersetzungen

Rezensionen

Jugend ohne Gott erschien am 26.10.1937 im Allert de Lange Verlag Amsterdam. Der Roman begründete den internationalen Erfolg Horváths und wurde binnen eines Jahres in acht Sprachen übersetzt: ins Englische, Tschechische, Polnische, Französische, Schwedische, Serbokroatische, Niederländische und Dänische. Alle bedeutenden internationalen Zeitungen besprachen ihn überwiegend positiv. Die Rezensenten nahmen diesen Exilroman gleichwohl sehr unterschiedlich wahr: Die meisten Kritiker betonten die moralische Konfliktsituation sowie die metaphysische Dimension des Textes. Als symptomatisch kann die Besprechung der *Neuen Zürcher Zeitung* vom 12.12.1937 gelten:

»Man glaubt im ersten Teil der Erzählung den Moralisten Wedekind mit einer Verspätung von dreißig Jahren wieder zu hören – bis das Schicksal kommt. Da wacht Horváth auf, wird wieder Zeitgenosse, ragt über sein kritisches Ich hinaus, und sucht im Wirrsal der Verfehlungen ein Prinzip, das er aus purer Verzweiflung am Menschen ›Gott‹ nennen möchte – obschon es sich nur um sein ›Gewissen‹ handelt. [. . .] Im Augenblick, da der Autor [. . .] sein eigenes Gewissen anfragen läßt, wird die Geschichte greifbar, spannt die Seele an, verliert die kritische Kälte; und erfüllt uns trotz mancher Künstlichkeit mit Menschlichkeit.«

Dagegen stellten die Exilzeitungen und -zeitschriften den politischen Gehalt des Buchs heraus und akzentuierten den aktuellen Bezug zur faschistischen Gesellschaft. Hermann Linde etwa schrieb in der in Paris erscheinenden Wochenzeitung *Die Zukunft* vom 16.12.1938 Horváth das Verdienst zu, als erster die Jugend unter der faschistischen Diktatur zum Thema eines Romans gemacht zu haben, merkte indes einschränkend an, dass ihm die Gestaltung des Massenschicksals der zeitgenössischen deutschen Jugend nicht gelungen sei. Kurt Großmann nutzte seine Rezension, die in Form eines offenen Briefes an Ödön von Horváth im Prager *Sozialdemokrat* am 27.1.1938 erschienen ist, um kritische Fragen an das Naziregime zu stellen:

H. Linde

K. Großmann

»Wem soll man das Buch empfehlen? Der Jugend, deren grauenvolles Schicksal Sie lebenswahr gestalten? Oder den Eltern, die am Rande des Geschehens die Hände in den Schoß gelegt, zuschauen? So würde ich antworten: In erster Linie den Eltern. Denn sie könnten aus Ihrem Buche vieles lernen, vor allem verantwortlich zu handeln; [. . .] Aber die Eltern in den Staaten der Oberplebejer, wo bleiben sie? Erheben sie sich nicht? Kämpfen sie nicht um ihre Kinder? Sind nicht die Mütter dazu da, Leben zu gebären, es zu behüten und nicht dazu, tatenlos zuzusehen, wie es vernichtet wird? [. . .] Ihr Buch ist für mich der beschwingende Appell, in dem Kampfe nicht nachzulassen, damit uns die Flucht zu den Negern erspart bleibe.«

Dagegen wurde Horváths Freund, der Dramatiker Franz Theodor Csokor, nicht müde zu versichern, dass dies »kein politischer Roman« sei, »obgleich die Strasse mit ihren täglichen Parolen hineinschreit«. Er unterstrich das Recht des Individuums auf persönliche Entfaltung und auf humanistische Werte, das im Kollektivismus jedweder Couleur nicht gewährleistet sei:

F. Th. Csokor

»Es ist die Jugend, die aus der Gotteskrise kommt und die nun ihr ziellos gewordenes metaphysisches Bedürfnis an ein niedrigeres Objekt der Verehrung hängt oder ganz in sich verschlossen nur herzlose Neugier einer sich nirgendwo mehr verantwortlich fühlenden Kreatur ist.«

Auch andere Schriftstellerkollegen Horváths äußerten sich anerkennend über den Roman. Hermann Hesse (1877–1962) etwa schätzte das Buch als »großartig« ein, denn es schneide quer durch den moralischen Weltzustand heute (vgl. Krischke/Prokop 1977, S. 194). Thomas Mann (1875–1955) schrieb Carl Zuckmayer (1896–1977) sogar, »daß er den Roman für das beste Buch der letzten Jahre hält« (GA 8,677f.). Joseph Roth (1894–1939) nannte Ödön von Horváth den hellsichtigen »Chronisten seiner Zeit«, der der »Dämonologie des Kleinbürgertums«, so Franz Werfel (1890–1945), auf der Spur sei. In Roths Nachruf in der *Pariser Tageszeitung* vom 3.6.1938 heißt es: »In allen Stücken Horváths, in jeder Zeile seiner Prosa, äussert sich ein unverkennbarer Haß gegen deutsche Spiessigkeit, die den deutschen Mord, nämlich das Dritte Reich, geboren hat« (zit. n. HC, S. 148).

Schriftsteller über *Jugend ohne Gott*

In Deutschland selbst blieb dem Roman ein Erfolg vorerst versagt, denn das nationalsozialistische Regime reagierte relativ rasch mit einem Verbot. Im Frühjahr 1938 wurde *Jugend ohne Gott* auf die »Liste des schädlichen und unerwünschten Schrifttums« gesetzt und die im Reichsgebiet auftauchenden Exemplare eingezogen und sichergestellt (vgl. HJoG, S. 248–254). Auf ebendieser »Liste« vom 31.12.1938 wird neben *Jugend ohne Gott* auch *Ein Kind unserer Zeit* aufgeführt. Bemerkenswert ist die Begründung des Verbotes: Es sind nicht die unübersehbaren und provozierenden Anspielungen auf das NS-Regime, es sind die »pazifistischen Tendenzen des Romans«, derentwegen er nicht verbreitet werden darf (vgl. HJuG, S. 248–253).

Rezeption nach 1945

Nach Kriegsende setzen sich v. a. frühere Freunde und Bekannte Ödön von Horváths für sein Werk ein: allen voran Franz Theodor Csokor, Heinz Hilpert (1890–1967), Alfred Ibach (1902–1948), Ulrich Becher (1910–1990) und Hans Weigel (1908–1991). Bereits am 26.8.1945 fand eine sog. »Morgenfeier« im Theater in der Josefstadt in Wien statt, bei der Ausschnitte aus den Romanen Horváths vorgelesen wurden.

Jugend ohne Gott und *Ein Kind unserer Zeit* wurden 1948 bzw.

T. Krischke

1951 neu aufgelegt. 1961 gab Traugott Krischke die Anthologie *Stücke* heraus, die, ebenso wie sein Aufsatz »Der Dramatiker Ödön von Horváth« (1962), eine wichtige Rolle bei der Wiederentdeckung des Schriftstellers im deutschsprachigen Raum spielte. Am 29.5.1958 wurde *Glaube Liebe Hoffnung* als erstes Theaterstück Horváths im Fernsehen gezeigt. Ab 1958 erfolgten jedes Jahr ein bis zwei Fernsehinszenierungen seiner Stücke und machten weite Publikumskreise mit seinem Namen bekannt. 1965 wurden Horváths beide letzten Romane unter dem Titel *Zeitalter der Fische* im Taschenbuch veröffentlicht. All dies setzte eine Horváth-Renaissance in Gang, die ihre Hochphase etwa Mitte der Siebzigerjahre erreichte und ohne die Studentenrevolte von 1968 und die Aufbruchstimmung im Zuge der sozialliberalen Koalition in diesem Ausmaß nicht denkbar gewesen wäre.

Denn in den zahlreichen Untersuchungen, Publikationen und Neuauflagen der damaligen Zeit wurden am Beispiel des Horváthschen Werks die Fortdauer des Spießertums, die Strukturen der autoritären Erziehung und die Rolle der Sprache bei der Manipulation des Bewusstseins lebhaft diskutiert.

1970/71 erschienen Horváths *Gesammelte Werke* in vier Bänden, der ein Jahr später eine achtbändige *Werkausgabe* im Taschenbuch folgte. Im Lauf der nächsten Jahre wurden zahlreiche Einzeleditionen, Materialienbände und Biografien publiziert. In der Spielzeit 1971/72 kam es überdies zu einer vorher nie erreichten Zahl von Horváth-Aufführungen. Es wurden 28 Inszenierungen an deutschsprachigen Bühnen und elf im Ausland registriert.

Heute zählt Horváths dramatisches Werk zum festen Bestandteil des Repertoires deutscher Bühnen. Seine Romane und Stücke werden didaktisch für den Deutschunterricht behandelt und aufbereitet. Sie sind Thema und Gegenstand von Seminaren und Vorlesungen an den Universitäten. Horváths Werk wird auf eigens dazu eingerichteten Kongressen und Symposien behandelt. Horváth hat sich als »Klassiker der Moderne« etabliert.

Verfilmungen und Dramatisierungen

Jugend ohne Gott ist mehrfach dramatisiert und verfilmt worden. Bereits im Mai 1938 hatte sich der dt.-amerik. Regisseur Robert Siodmak (1900–1973) um die Filmrechte bemüht. Horváth hatte ihn deshalb in Paris besucht. Sein Tod auf den Pariser Champs-Elysées durch einen herabstürzenden Ast machte jedoch alle Pläne zunichte.

R. Siodmak

Bis 1969 lag dieser außergewöhnliche Filmstoff brach. Nahezu zeitgleich verfilmten dann die Regisseure Roland Gall und Eberhard Itzenplitz das Buch. Der Theaterregisseur Roland Gall verzichtete in seiner Verfilmung mit dem Titel *Wie ich ein Neger wurde*, die nach wie vor als die gelungenste Adaption gilt, auf eine zeitliche Fixierung der Geschehens und suchte vielmehr den gemeinsamen Nenner mit der Gegenwart. Dabei legte er das Hauptaugenmerk auf bestimmte Motive der Handlung, wie elitäres Bewusstsein, militantes Naturverständnis, Opfersinn auf

R. Gall

der einen, abstrakter Humanismus und unpolitischer Idealismus auf der anderen Seite. In einem Interview mit dem *Essener Tageblatt* vom 2.3.1971 kommentiert Roland Gall seinen Debütfilm:

> »Ich wollte kein Dokumentarspiel machen, sondern einen Lehrfall, in dem die Menschen immer etwas mehr über sich und ihre Schwächen sagen dürfen als in Wirklichkeit. Wenn die Maximen feststehen, die den Kindern von allen Seiten eingehämmert werden, bleibt für die wahre Erziehung nur noch wenig Spielraum.«

E. Itzenplitz   Ganz anders die ZDF-Fernsehinszenierung *Nur der Freiheit gehört unser Leben* von Eberhard Itzenplitz, die auf dem Drehbuch von Herbert Knopp beruht. Sie verlegt die Geschehnisse in ein spezifisch nationalsozialistisches Milieu der Mittdreißigerjahre, wohingegen die literarische Vorlage, trotz aller leicht entschlüsselbaren Anspielungen, ihre Kritik gegen jeglichen totalitären Staat richtet, um letztlich, so Axel Fritz, »›das Wesen der faschistischen Diktatur und die moralischen Entscheidungen, die die politischen Verhältnisse vom einzelnen verlangen, allgemeingültig darzustellen‹« (zit. n. Kaiser, S. 62). Sibylle Grack fordert deshalb in ihrer Fernsehkritik für die Wochenzeitung *Christ und Welt* am 14.11.1969: »Der Inszenierung wären wir zu Dank verpflichtet, die uns diesen Roman nicht als das Schreckgespenst aus einem bestimmten Reich vor Augen führen würde, sondern als eine stets zeitbedeutsame Parabel.«

Diesem Anspruch kamen die Dramatisierungen für die Bühne in den letzten Jahren offensichtlich nach. So schreibt die *Braunschweiger Zeitung* vom 17.10.1994 über die dramatisierte Fassung von Jürg Amann für das Kinder- und Jugendtheater Braunschweig:

J. Amann

> »Die Parallele ist greifbar und drohend: Kinder und Schüler derer, die in den 60er Jahren gegen die kollektive Verdrängung eines industriell betriebenen Massenmordes rebellierten, wenden sich plötzlich wieder nach rechts, folgen den Parolen des Hasses und der verheerenden Deutschtümelei. Dagmar Schlingmanns karge, auf den Spannungsbogen der mörderischen Geschichte vertrauende Inszenierung [. . .] setzt nicht auf vordergründige Aktualisierung, sondern auf

die eisige Atmosphäre der Gefühls- und Kommunikations-
armut. [. . .] Es ist die Kälte der Gesellschaft, der Zynismus
und Egoismus ihrer Protagonisten, der diese Jugend verrohen
und zu willfährigen Mitläufern der Verderber werden läßt.
Das wird schneidend herausgearbeitet.«

Im folgenden Monat, am 10.11.1994, hatte *Jugend ohne Gott* in
der dramatisierten Fassung des Horváth-Spezialisten Traugott
Krischke im Kleinen Theater Salzburg Premiere. Zwei Jahre später, im Februar 1996, wurde diese auch am Nordhessischen Lan-
destheater Marburg aufgeführt. Der Regisseur Frank Strobel   F. Strobel
beließ die Handlung zwar in den Dreißigerjahren, änderte jedoch den Schluss, um die Aktualität des Textes zu betonen. In
einem Interview mit der *Oberhessischen Presse* vom 15.2.1996
begründet Strobel diesen Schritt: »Doch allein von historischem
Interesse ist das Stück nicht. Orientierungslosigkeit und Sinn-
verlust machen anfällig für Unmenschlichkeit – damals wie
heute.«

4. Kommentierter Forschungsüberblick

Jugend ohne Gott enthält verschiedene Handlungsstränge, die von der Horváth-Forschung unter unterschiedlichen Gesichtspunkten analysiert werden: die Suche nach Gott und der Wahrheit, Jugend im Nationalsozialismus als Zeit- und Faschismuskritik, Elemente einer Kriminalgeschichte, biografische Bezüge zu Murnau.

Auf der Suche nach Gott und der Wahrheit

Von 1933 an beschäftigt sich Horváth in seinem Werk intensiv mit dem Themenkomplex Schuld, Reue und Sühne, v. a. in den Theaterstücken *Der jüngste Tag* (1937), *Pompeji* (1937) und in den Romanen *Jugend ohne Gott* und *Ein Kind unserer Zeit*. Karl Müller untersucht 1987 Horváths »Weg nach innen« und kommt zu dem Ergebnis:

K. Müller

> »Horváths Zeitkritik erscheint nun eingebettet in einen als religiös verstehbaren Interpretationsraster, auf den hin alle Handlungselemente, Motivzusammenhänge und Symbolgestaltungen bezogen sind. Kritik wird nicht mehr in dem Maße offen und explizit auf aktuelle Zeitereignisse bezogen wie früher, der metaphorische Prozeß verstärkt sich« (Müller, S. 160).

A. Doppler

Alfred Doppler deutet diese Hinwendung zu metaphyischen Themen in seinem Aufsatz »Die Exilsituation in Horváths späten Dramen« von 1988 als Folge der massiven Bedrohung durch das Dritte Reich:

> »Da es angesichts des etablierten Nationalsozialismus nicht mehr genügt, falsches kleinbürgerliches Bewußtsein vorzuführen, versucht Horváth, mit traditionellen Spielfiguren (Figaro und Don Juan [beide 1936]) oder mit historischen Analogien, die auf eine Zeitenwende weisen (*Ein Dorf ohne Männer* und *Pompeji* [beide 1937]), sowohl mögliche Veränderungen und Wandlungen als auch die Erkenntnis persönlicher Schuld und Verantwortung (*Der jüngste Tag*) ins Spiel zu bringen« (Doppler, S. 38).

Edzard Krückeberg legt 1991 in seiner Analyse das Hauptge- E. Krückeberg
wicht auf die Wahrheitssuche:

>»Horváths Roman stellt einen Paradigmenwechsel dar: den
Wechsel vom ›Leben in der Lüge‹ zum ›Leben in der Wahrheit‹ unter den Bedingungen eines totalitären Staates. [. . .]
Der Roman ist in seiner Darstellungsweise ambivalent; er ver-
fährt satirisch im Blick auf das ›Leben in der Lüge‹ und stellt
im Blick auf den Übergang in das ›Leben in der Wahrheit‹ die
Erfahrung einer ›anderen‹ Bedeutung des Wortes Gottes dar.
Die Satire wird ›mit Gott verbunden‹, insofern sie sich unter
einer Perspektive herstellt, die ›das Soziale weder dem bloß
Ideologischen noch dem bloß Empirischen‹ unterstellt« (Krückeberg, S. 498).

Doppler ortet bereits 1988 Horváths Standpunkt treffend: A. Doppler

>»Horváth ist weder – wie seine Freunde verkündeten – vom
zeitkritischen zum zeitlos gültigen Autor aufgestiegen noch –
wie seine späteren Kritiker erklären – vom engagierten Rea-
listen zum unverbindlichen Stückeschreiber abgesunken; er
hat [. . .] bis zuletzt zwischen Brecht und den bürgerlichen
Autoren seiner Zeit einen eigenen Standort behauptet, und
der bestimmt seinen literar-historischen Rang« (Doppler,
S. 42).

Zeit- und Faschismuskritik

Brigitte Röttger definiert diesen »eigenen Standpunkt« näher. B. Röttger
Sie wendet sich gegen den immer wieder erhobenen Vorwurf an
Horváth, er habe bei seinen letzten beiden Romanen das sozialkritische Engagement aufgegeben und sich resignativ in die eigene Innerlichkeit zurückgezogen. Sie bringt die philosophi-
schen und psychoanalytischen Einflüsse von Blaise Pascal
(1623–1662), Friedrich Nietzsche (1844–1900) und Sigmund
Freud (1856–1939) auf *Jugend ohne Gott* in Zusammenhang
mit Horváths Zeit- und Faschismuskritik (vgl. Röttger, S. 71),
wobei sie die Untersuchungen Bettina Kranzbühlers weiterführt, B. Kranzbühler
in deren Magisterarbeit von 1982 erstmals die Anspielungen auf
die Bibel, die Zitate aus Pascals *Pensées*, die Äußerungen des
Ignatius von Loyola (1491–1556) sowie die griech. Philosophen

Anaximander (um 610–um 546) und Aristoteles (384–322)
analysiert werden.

Wolf Kaiser geht in seiner Studie von 1981 der Frage nach, ob
Jugend ohne Gott ein antifaschistischer Roman sei in Hinblick
auf das in ihm gestaltete Menschen- und Gesellschaftsbild oder
ob »das Buch ein im Grund unpolitischer Roman [ist], in dem
ein allgemein-menschliches Problem gestaltet ist« (Kaiser,
S. 50). Er kommt zu dem Schluss, dass es Horváth gelingt, »zwei
für die antifaschistische Literatur wichtige Themen eindringlich
zu gestalten: die ideologische und moralische Deformierung der
Jugend im Faschismus [. . .] und die Überwindung opportunis-
tischer Anpassung an den Faschismus« (ebd., S. 62). Das Zu-
kunftsweisende und Zeitlose sieht er jedoch in der Art, wie die
Jugendlichen charakterisiert werden:

> »Als Gestaltung der inneren Entwicklung eines Menschen in
> einem faschistischen Staat und der von diesem herbeigeführ-
> ten Verrohung der Jugend kann Horváths Roman auch heute
> noch Aufschluß über subjektive Reaktionen auf den Faschis-
> mus geben und dessen kritische Bewertung und emotionale
> Ablehnung fördern. *Jugend ohne Gott* hat sich auch und ge-
> rade als pädagogisch verwendbar erwiesen, nicht zuletzt, weil
> der Roman durch seine Erzählweise ein emotionales Enga-
> gement des Lesers herausfordert und ihn durch geschickt
> aufgebaute Spannung mitreißt« (ebd., S. 63).

Elemente der Kriminalgeschichte

Horváth bettet die Auseinandersetzung mit der faschistisch
(de)formierten Gesellschaft in eine Kriminalgeschichte ein und
»spricht mit dem Moment des Sensationellen, das der Erzählung
eines Verbrechens und seiner Aufklärung regelmäßig anhaftet,
ein populäres Unterhaltungsbedürfnis an« (Spies, S. 97). Nicht
einen einzelnen fehlgeleiteten Verbrecher wolle er vorführen,
sondern die Amoralität und Verrohung einer ganzen Generation. Die Individuen gingen in der Ideologie des faschistischen
Unrechtsstaats nahezu bruchlos auf. Das mache sie für die NS-
Herrschaft und deren Verbechen brauchbar und adäquat ver-
wendbar.

Auch Adolf Haslinger stellt die Kriminalgeschichte in den Mittelpunkt seiner Betrachtung, setzt jedoch andere Akzente. Für ihn ist »das Detektivische in diesem Roman [. . .] eine Struktur neben anderen innerhalb der Gesamtthematik«. Der detektivischen Struktur schreibt er dabei eine integrierende Funktion zu, indem sie die anderen Strukturen – die politische, die sozialkritische und die religiöse – auf den Höhepunkt führe:

> »Dabei wird dieser Mord, über seine rein schematische Funktion im Detektivromanschema hinaus, zum intensivsten Vorwurf an den Menschen in diesem ›Zeitalter der Fische‹. Auch die religiöse Thematik gipfelt darin: Der Mord gilt metaphorisch-wörtlich nämlich als Heimsuchung Gottes« (Haslinger, S. 199f.).

Horváth und Murnau

Wie Horváth zu seinem Stoff kam, durch welche Ereignisse er sich anregen ließ, wer ihm bei der Gestaltung seiner Charaktere Modell stand und wo er mit seinen »Vorbildern« zusammentraf, konnte erst ab Ende der Siebzigerjahre in kleinen Schritten ermittelt werden. Das lag v. a. daran, dass in Murnau akribisch all seine Spuren verwischt worden waren. Nur äußerst zögerlich und ungern erinnerte man sich dort an den »Nestbeschmutzer«, zumal sich einige Einheimische in bestimmten Protagonisten der Theaterstücke *Italienische Nacht* und *Zur schönen Aussicht* (1926) wiederzuerkennen meinten. Um den »Dorffrieden« nicht zu stören, hatte Horváth zwar vorsichtshalber bereits im November 1932 in der *Gebrauchsanweisung* propagiert: »[I]ch habe kein anderes Ziel als wie dies: Demaskierung des Bewußtseins. Keine Demaskierung eines Menschen, einer Stadt – das wäre ja furchtbar billig!« (GW 4,858) Die Anfeindungen hielten sich dennoch beharrlich. So wurde eine Anfrage Traugott Krischkes an die Marktgemeinde, ob Horváth in Murnau gemeldet gewesen sei, Mitte der Siebzigerjahre abschlägig beschieden. Die Villa der Eltern, in denen sich der Schriftsteller zwischen 1924 bis 1933 fast das ganze Jahr über aufgehalten hatte, wurde 1974 abgerissen. Die Originalschauplätze mussten Umgehungsstraßen, Neubausiedlungen oder Supermärkten weichen.

Nur noch wenige Ortsansässige konnten sich an Horváth erinnern, als ich 1978 mit meinen Recherchen begann. Ich befragte Zeitgenossen, suchte in der damaligen Lokalzeitung nach Spuren von Horváths Leben und Werk und forschte im Staatsarchiv München nach Hintergrundmaterial zu Murnau während des aufkommenden Nationalsozialismus und der NS-Zeit. So ließen sich auf Anhieb authentische Namen, Vorkommnisse und Vorbilder etwa in *Italienische Nacht*, *Zur schönen Aussicht* oder in der kleinen Prosa nachweisen.

Seit 1993 hat der ehedem ungelittene Autor nun doch noch ein Plätzchen in Murnau gefunden. Im Dachgeschoss des Schlossmuseums habe ich zusammen mit Traugott Krischke in einer Dauerausstellung die problematische Beziehung zwischen der Kleinstadt und dem Schriftsteller dokumentiert. Dort findet sich u. a. auch der Antrag auf Einbürgerung, den Horváth im Juli 1927 gestellt hatte und der von der Marktgemeinde mit der Begründung abgelehnt wurde, »daß nicht nachgewiesen ist, ob sich der Gesuchsteller dauernd zu ernähren imstande ist«. »Wissens«, schrieb Horváth in der Posse *Hin und her* (1933), »es schaut nämlich einfacher aus, als wie es ist, wenn man so weg muß aus einem Land, in dem man sich so eingelebt hat, auch wenn es vom Zuständigkeitsstandpunkte nicht die direkte Heimat war – aber es hängen doch so viel Sachen an einem, an denen man hängt« (GW 2,861).

5. Bibliografie

Siglen

GW Gesammelte Werke [in vier Bänden]. Hg. v. Traugott
    Krischke unter Mitarbeit von Susanna Foral-Krischke.
    Frankfurt/M. 1988.
GA Gesammelte Werke [in acht Bänden]. Werkausgabe der
    edition suhrkamp. Hg. v. Traugott Krischke und Dieter
    Hildebrandt. Frankfurt/M. 1972.
AJoG Traugott Krischke: Anhang. In: Gesammelte Werke [in
    14 Bänden]. Kommentierte Werkausgabe in Einzelbän-
    den in den suhrkamp taschenbüchern. Hg. v. Traugott
    Krischke unter Mitarbeit von Susanna Foral-Krischke.
    Frankfurt/M. 1983–1988. Mit Anhang: Entstehung,
    Überlieferung, Textgestaltung und Erläuterungen. GW
    13, S. 151–183.
HJoG Traugott Krischke (Hg.): Horváths *Jugend ohne Gott*,
    Frankfurt/M. 1984 (stm 2027).
HC Traugott Krischke: Horváth-Chronik, Frankfurt/M.
    1988 (stm 2089).

Beiträge der Forschung zu Ödön von Horváth und zu Jugend
ohne Gott

Bance, Alan: The Overcoming of the Collective: *Jugend ohne Gott* as a
    Drama. In: Sprachkunst 19 (1988), S. 137–147.
Bance, Alan (Hg.): Ödön von Horváth – Fifty Years On. Horváth Sym-
    posium, London 1988.
Birbaumer, Ulf: Trotz alledem: die Liebe höret nimmer auf. Motivparal-
    lelen in Horváths *Der Lenz ist da!* und *Jugend ohne Gott*. In: HJoG,
    S. 116–128.
Brecht, Christoph: »Kruzifix, errichtet vom Verschönerungsverein«.
    Ödön von Horváth und die Semantik der Moderne. In: Hofmanns-
    thal. Jahrbuch zur europäischen Moderne 2 (1994), S. 309–332.
Doppler, Alfred: Die Exilsituation in Horváths späten Dramen. In:
    A. Bance (Hg.): Ödön von Horváth – Fifty Years On. Horváth Sym-
    posium, London 1988, S. 33–42.
Grabe, Burckhard: »Ja, es kommen kalte Zeiten.« Beobachtungen zur

poetischen sprache Horváths in *Jugend ohne Gott*. In: HJoG, S. 92–115.

Haag, Ingrid: Ödön von Horváth, Aix-en-Provence 1991.

Haag, Ingrid: Ödön von Horváth. Fassaden-Dramaturgie. Beschreibung einer theatralischen Form. Frankfurt/M. u. a. 1995.

Haslinger, Adolf: Ödön von Horváths *Jugend ohne Gott* als Detektivroman. Ein Beitrag zur österreichischen Kriminalliteratur. In: Studien zur Literatur des 19. und 20. Jahrhunderts in Österreich. Festschrift für Alfred Doppler zum 60. Geburtstag, Innsbruck 1981, S. 197–204.

Hiebel, Hans H.: Sprachrealismus und Verfremdung. Ödön von Horváths Dramaturgie zwischen personaler und auktorialer Perspektivtechnik. In: German Quarterly 67 (1994), S. 305–314.

Hildebrandt, Dieter: Horváth, Reinbek bei Hamburg 1975 (rororo bildmonographie 231).

Hildebrandt, Dieter/Traugott Krischke: Über Ödön von Horváth, Frankfurt/M. 1972 (es 584).

Jarka, Horst: Alltag und Politik in der österreichischen Literatur der dreißiger Jahre. Horváth – Kramer – Soyfer. In: Zwischenwelt 1 (1990), S. 120–139.

Kadrnoska, Franz: Horváth und die Folgen? *Jugend ohne Gott* und die österreichische Vergangenheitsbewältigung fiktional – real. In: Sprachkunst 19 (1988), S. 95–105.

Kaiser, Wolf: *Jugend ohne Gott* – ein antifaschistischer Roman? In: HJoG, S. 48–68.

Kranzbühler, Bettina: Zitat-Technik und Leitwortstil in der Prosa Ödön von Horváths, München 1982.

Krischke, Traugott: »Der Dramatiker Ödön von Horváth«. In: Akzente 2 (1962), S. 157–164.

Krischke, Traugott (Hg.): Materialien zu Ödön von Horváth, Frankfurt/M. 1970 (es 436).

Krischke, Traugott: Ödön von Horváth. Kind seiner Zeit, München 1980 (Heyne Biographien 71).

Krischke, Traugott: Horváths Stücke, Frankfurt/M. 1988 (stm 2092).

Krischke, Traugott (Hg.): Horváths Prosa, Frankfurt/M. 1989 (stm 2094).

Krischke, Traugott: Horváth auf der Bühne. 1926–1938, Wien 1991.

Krischke, Traugott: Aspekte und Möglichkeiten der Horváth-Forschung. In: Literatur und Kritik 231/232 (1989), S. 1–11.

Krischke, Traugott/Prokop, Hans F. (Hg.): Ödön von Horváth. Leben und Werk in Dokumenten und Bildern. Frankfurt/M. 1972 (st 67).

Krischke, Traugott/Prokop, Hans F. (Hg.): Ödön von Horváth. Leben und Werk in Daten und Bildern. Frankfurt/M. 1977 (it 237).

Krückeberg, Edzard: Vom »Leben in der Lüge« zum »Leben in der Wahrheit«. Zu Ödön von Horváths Roman *Jugend ohne Gott*. In: »[. . .] die in dem alten Haus der Sprache wohnen«. Beiträge zum Sprachdenken in der Literaturgeschichte. Helmut Arntzen zum 60. Geburtstag, Münster 1991, S. 483–499.

Kun, Eva: »Die Komödie des Menschen« – Horváth und Ungarn. Versuch einer neuen Annäherung. In: A. Bance (Hg.): Ödön von Horváth – Fifty Years On. Horváth Symposium, London 1988, S. 1–22.

Müller, Karl: Einheit und Disparität – Ödön von Horváths »Weg nach innen«. In: T. Krischke (Hg.): Horváths Prosa, Frankfurt/M. 1989, S. 156–177.

Müller-Funk, Wolfgang: Faschismus und freier Wille. Horváths Roman *Jugend ohne Gott* zwischen Zeitbilanz und Theodizee. In: HJoG, S. 157–179.

Prümm, Karl: Die Oberfläche der Dinge. Repräsentation des Alltäglichen im Film, im Theater und im Roman um 1930 am Beispiel von Robert Siodmak, Ödön von Horváth und Hans Fallada. In: Germanistica 14 (1994), S. 31–59.

Röttger, Brigitte: Auf der Suche nach den Idealen der Menschheit. Ödön von Horváths Roman *Jugend ohne Gott*. In: Text & Kontext. Zeitschrift für germanistische Literaturforschung in Skandinavien. Jg. 14. Kopenhagen/München 1986, S. 70–119.

Schlemmer, Ulrich: Ödön von Horváth. *Jugend ohne Gott*, München 1993 (Oldenbourg-Interpretationen 65).

Schnitzler, Christian: Der politische Horváth. Untersuchungen zu Leben und Werk, Frankfurt/M. 1990 (Marburger germanistische Schriften 11).

Spies, Bernhard: Der Faschismus als Mordfall. Ödön von Horváths *Jugend ohne Gott*. In: W. Dünsing (Hg.): Experimente mit dem Kriminalroman. Ein Erzählmodell in der deutschsprachigen Literatur des 20. Jahrhunderts, Frankfurt/M. 1992, S. 97–116 (Studien zur deutschen Literatur des 19. und 20. Jahrhunderts 21).

Steets, Angelika: NS-Sprache in Horváths Romanen. In: T. Krischke (Hg.): Horváths Prosa, Frankfurt/M. 1989, S. 113–132.

Tischer, Viktoria: Auf Spurensuche nach dem Dichter Horváth. In: Literatur in Bayern 33 (1993), S. 58–61.

Tworek-Müller, Elisabeth: Kleinbürgertum und Literatur. Zum Bild des Kleinbürgers im bayerischen Roman der Weimarer Republik, München 1985.

Tworek-Müller, Elisabeth (Hg.): Horváth und Murnau. 1924–1933, Murnau/Wien 1988.

Tworek, Elisabeth: Ödön von Horváth. In: Führer zum Schloßmuseum Murnau, Murnau 1993, S. 221–244.

Viehhoff, Reinhold: »Neben Brecht einer der bedeutendsten deutschsprachigen Schriftsteller unseres Jahrhunderts«. Zur Rezeption Ödön von Horváths . . . und zur Rezeptionsforschung. In: T. Krischke (Hg.): Horváths Prosa, Frankfurt/M. 1989, S. 190–219.

Balthasar, Hans Urs von (Hg.): Menschen der Kirche in Zeugnis und Urkunde. 2. Bd., Einsiedeln/Köln/Zürich 1965.

Bloch, Iwan: Das Sexualleben in unserer Zeit in seinen Beziehungen zur modernen Kultur, Berlin 1907.

Dithmar, Reinhard: Der Deutschunterricht in der Weimarer Republik als Wegbereiter des Faschismus. Zur Entwicklung des Schulwesens in der Weimarer Republik, Darmstadt 1981

Dithmar, Reinhard: Schule und Unterricht in der Endphase der Weimarer Republik, Neuwied u. a. 1993.

Gamper, Herbert: Nach dem Sündenfall: Die Söhne und Töchter Adams und Evas. In: Literatur und Kritik 24 (1989), S. 137–147.

Grenville, Anthony: The Popular Front that Never Was: Literary Perspectives on the Conflict Between KPD and SPD in Germany. In: Quinquereme 11 (1988), S. 47–70.

Hartmann, Martha: Mädel, Sonne, Zelte. Geschichten und Erzählungen um das Mädellager Hochland, Berlin 1939.

Hohmann, Joachim S./Langer, Hermann; »Stolz, ein Deutscher zu sein . . .« Nationales Selbstverständnis in Schulaufsätzen 1914–1945, Frankfurt/M. u. a. 1995 (Beiträge zur Geschichte des Deutschunterrichtes 21).

Jäger, Walter: Es begann am 30. Januar, München 1958.

Kühnl, Reinhard: Der deutsche Faschismus in Quellen und Dokumenten, Köln 1975.

Pfister, Gertrud: Turnunterricht im Spannungsfeld von Politik und Reform. In: R. Dithmar (Hg.): Schule und Unterricht in der Endphase der Weimarer Republik, Neuwied 1993.

Rauschning, Hermann: Gespräche mit Hitler. Zürich/New York 1940.

Sack, Volker: Zeitstück und Zeitroman in der Weimarer Republik, Stuttgart 1985.

Schulenburg, Ulrich (Hg.): Franz Theodor Csokor. 1885–1969. Lebensbilder eines Humanisten, Wien 1992.

Selbmann, Rolf: Vom Jesuitenkolleg zum Humanistischen Gymnasium. Zur Geschichte des Deutschunterrichts in Bayern zwischen Gegenreformation und Gegenwart am Wilhelmsgymnasium München, Frankfurt/M. u. a. 1991.

Unser Hochlandlager. Königsdorf 1936.

Zimmermann, Karl: Die geistigen Grundlagen des Nationalsozialismus. Das Dritte Reich. Bausteine zum Neuen Staat und Volk, Leipzig 1933

Zinsinger, Hugo: Das deutsche Mädel bei Übung und Spiel im Gelände, o. O. 1936.

6. Wort- und Sacherläuterungen

Die Neger: Burckhard Grabe hat in seiner poetologischen Stu- 9.1
die zu *Jugend ohne Gott* u. a. auch die Textkomposition, also
»exposition, durchführung, peripetien, spannung, katharsis
[. . .], leitmotive, nebenmotive, anspielungen, vor- und rückver-
weise, zitate, selbstzitate« untersucht und festgestellt, daß die 44
Abschnitte durch Mikro- und Makrokomposition zusammen-
gefügt werden: »›mikro-komposition‹ soll heißen: Horváth
schließt die abschnitte in sich, er läßt anfang und ende mitein-
ander korrespondieren (›intra-strukturelle abschnittskompo-
sition‹), und er verklammert aufeinanderfolgende abschnitte
(›inter-strukturell‹); ›makro-komposition‹ meint: abschnitte
werden großräumig aufeinander bezogen, durch vor- und rück-
verweis von überschriften, motiven, zitaten« (Grabe, S. 106).
Eine intrastrukturelle Entsprechung findet sich etwa im ersten
Abschnitt, der mit der Überschrift »Die Neger« beginnt und mit
den Worten endet »die Neger, wahrscheinlich – –«. Bezüglich
des makrokompositionellen Rahmens vgl. etwa den ersten Abschnitt mit dem letzten (S. 9,1–7 und 12,25 mit S. 142,3–7 und
24).

»Warum müssen wir Kolonien haben?«: Schon im Parteipro- 10.15
gramm der NSDAP vom 25.2.1920 hatte es geheißen: »3. Wir
fordern Land und Boden (Kolonien) zur Ernährung unseres Volkes und Ansiedlung unseres Bevölkerungsüberschusses.« Der
Geografieunterricht des Dritten Reiches konnte nahtlos an die
hochfliegenden Erwartungen der wilhelminischen Weltpolitik
und der nationalen Katerstimmung nach ihrem jähen Absturz
anknüpfen.
Bereits 1926 bearbeiteten die bayerischen Abiturienten das Thema: »Die Rückgabe unserer Kolonien ist ein nationale Forderung« (Selbmann, S. 128). Die Richtlinien für »Erziehung und
Unterricht in der Volksschule« (Halle a. d. S., o. J., S. 18) schrieben vor: »Der Anteil der Deutschen an der Erforschung der Erd-
räume, die kolonisatorischen Leistungen unseres Volkes in aller Welt und unser Anspruch auf kolonialen Raum sind besonders herauszustellen.« Vgl. auch das Thema des Referats, das der

Gymnasiast Czernowitz im Volksstück *Italienische Nacht* im Rahmen einer militärischen Nachtübung hält: »Was verdanken uns Deutschen die Japaner?« (GW 1,491)

10.33–11.2 **der heimische Arbeitsmann [. . .] Endes zum Volk**: Vgl. die Proklamation Hitlers bei der Eröffnung des 8. Reichsparteitages der NSDAP in Nürnberg am 9.9.1936: »Die nationalsozialistische Staatsführung ist eine so souveräne und eine so über allen wirtschaftlichen Bedingungen stehende, daß in ihren Augen die Kennzeichnung ›Arbeitnehmer und Arbeitgeber‹ belanglose Begriffe sind. Es gibt keinen Arbeitgeber und es gibt keinen Arbeitnehmer vor den höchsten Interessen der Nation, sondern nur Arbeitsbeauftragte des ganzen Volkes.«

11.22 **»Alle Neger sind hinterlistig, feig und faul.«**: »Neger« als Synonym für die zu Außenseitern Deklassierten, rassisch Unreinen, Nichtangepassten, Juden.

11.30 **Radio**: Die Nationalsozialisten entwickelten den Rundfunk zum perfekten Propagandainstrument. Reichsminister für Volksaufklärung und Propaganda, Joseph Goebbels (1897–1945), erklärte am 25.3.1933 in einer Rede: »Ich halte den Rundfunk für das allermodernste und allerwichtigste Massenbeeinflussungsinstrument, das es überhaupt gibt [. . .] ein Mittel zur Vereinheitlichung des deutschen Volkes in Nord und West, in Süd und Ost.«
Der Aufruf zum Miterleben kennzeichnet die Dramaturgie, nach der die Nationalsozialisten ihre Politik inszenierten und öffentlich darstellten. Die Millionen, die Massen, sind einbezogen. »Und der Rundfunk«, so Eugen Hadamovsky, Vorsitzender des nationalsozialistischen »Reichsverbandes Deutscher Rundfunkteilnehmer« und später »Reichssendeleiter«, »unser in dieser Stunde geborener Rundfunk, hat gar nichts anderes zu tun, als diesen elementaren Aufbruch einzufangen und den Millionen draußen im Landes zu übermitteln und sie zum Miterleben aufzurufen.«
Am 20.8.1933 wurde auf der Berliner Funkausstellung ein »Volksempfänger« für 76 Reichsmark (die Preise üblicher Geräte lagen zwischen 200 und 400 RM) vorgestellt, der von 28 deutschen Radioherstellern auf Veranlassung des Propagandaministeriums in einheitlicher Qualität produziert wurde. Da der

»Volksempfänger« nur für Mittelwellenempfang eingerichtet wurde, war der Empfang ausländischer Sender (über Kurzwelle) ausgeschlossen. 1934 waren 44% aller produzierten Rundfunkgeräte Volksempfänger. Der Slogan einer Plakataktion lautete: »Ganz Deutschland hört den Führer mit dem Volksempfänger.«

Als es aufhörte [...] von Jugend auf: Zit. nach 1. Mose 8,21;   13.23–27
vgl. Horváths *Randbemerkung* zu *Glaube Liebe Hoffnung*, dass er diese Bibelstelle (1. Mose 8,21) jedem seiner Stücke hätte als Motto voransetzen können (GW 2,529).

vorschriftsgemäß: Die Lehrer hatten sich streng nach Erlassen   14.19
und Anweisungen zum Unterricht zu richten, die in den ersten Jahren der Nazidiktatur unregelmäßig ergingen. Ab 1937/38 wurden sie systematisch in amtl. Ausgaben des Reichs- und Preußischen Ministeriums für Wissenschaft, Erziehung und Volksbildung (= Erziehung und Unterricht in der höheren Schule), Berlin 1938, zusammengefasst. Bei den Erlassen handelte es sich um Amtsblätter (der Kultusministerien) oder um das »Reichsministerialamtsblatt Deutsche Wissenschaft und Volksbildung«.

brave Bürger, Beamte, Offiziere, Kaufleute: Nach Horváths   15.14–15
1929 entstandenen Romanentwurf *Der Mittelstand* (GA 8,647) zählen die oben genannten Berufe, nämlich »Gewerbe, Kaufleute, Hoteliers, höhere Beamte, Reichswehroffiziere und Polizeioffiziere, Freie Berufe: Arzt, Ingenieur, usw. Die Intellektuellen: Schriftsteller, Maler, Musiker, Journalist« und die Studenten zu den »Überbleibseln aus dem alten Mittelstand«.

»Bei Philippi sehen wir uns wieder!«: Zitat frei nach dem um   17.9–10
1599 entstandenen Stück *Julius Caesar* (IV,3) von William Shakespeare (1564–1616), abgeleitet aus der Monografie *Alexander–Caesar* der *Parallelbiographien* von Plutarch (um 46 – um 125): »[...] bei Philippi wirst du mich sehen.« Damit ist angedeutet, dass die entscheidende Auseinandersetzung noch bevorsteht. Philippi war eine Stadt im westl. Thrakien, später zu Makedonien gehörend. 42 v. Chr. besiegten Octavian und Antonius bei Philippi die Republikaner unter Brutus und Cassius.

das geheime Rundschreiben 5679 u/33: Vgl. die Äußerungen   17.20–21
des Reichsinnenministers Wilhelm Frick (1877–1946) auf der Ministerkonferenz am 9.5.1933 über das *Kampfziel der deut-*

schen Schulen: »Die Wehrhaftigkeit des deutschen Volkes setzt eine geistige und körperliche Wehrhaftmachung voraus, wie sie durch die Geländesportlehrgänge des Reichskuratoriums für Jugendertüchtigung erstrebt wird, und bedeutet, daß das deutsche Volk wieder lernt, im Wehrdienst die höchste vaterländische Pflicht und Ehrensache zu sehen. Mit der Wehrhaftmachung muß, wenn sie das gesamte Wesen, die ganze Persönlichkeit des Menschen erfassen soll, schon in der Schule begonnen werden. Die Schule muß die notwendige Vorarbeit leisten, in die heranwachsende Jugend muß der Keim des Wehrgedankens gelegt werden.«

18.17–18 **im letzten Kriegsjahr zum erstenmal geliebt**: Vgl. dazu Horváths autobiografischen Aufsatz *Fiume, Belgrad, Budapest, Preßburg, Wien, München* (1929): »[I]ch erinnere mich auch noch meiner ersten Liebe: das war während des Weltkrieges in einem stillen Gäßchen, da holte mich in Budapest eine Frau in ihre Vierzimmerwohnung, es dämmerte bereits, die Frau war keine Prostituierte, aber ihr Mann stand im Feld, ich glaube in Galizien, und sie wollte mal wieder geliebt werden« (GW 4,826).

18.20 **plebejischen Welt**: Die Plebejer waren im antiken Rom Angehörige der großen Masse der Bürger, die neben den privilegierten Patriziern standen. Rechtlich zwar gleichgestellt, politisch aber vom öffentlichen Leben ausgeschlossen, bildeten sie einen eigenen Staat im Staate mit besonderen Beamten, v. a. den Volkstribunen (vgl. auch Erl. zu 18.21–23 u. 18.32).
Mit »plebejischer Welt« ist hier allerdings die Zeit des Nationalsozialismus gemeint. Die Verbindung zu Adolf Hitler wird durch das Schlüsselwort »Geburtstag des Oberplebejers« (S. 106,16) hergestellt.

18.21–23 **das alte Rom [. . .] noch nicht entschieden**: Die Patrizier (lat., zu *patres* »Väter, Vorfahren, Senatoren«) waren ein Geburtsadel, der ursprünglich im Alleinbesitz der politischen Macht war. 366 v. Chr. wurde in Rom erstmals ein Plebejer Konsul. Von diesem Zeitpunkt an bekamen die Plebejer zu immer mehr Staatsämtern Zugang, um 300 v. Chr. auch zu den Priesterämtern. 287 v. Chr. erlangten sie die politische Gleichberechtigung.

18.32 **Die reichen Plebejer**: Damit sind zunächst Teile des Plebs in

Rom gemeint, die dank ihres Reichtums an die Schaltstellen der Macht gelangten. Im metaphorischen Sinne wird damit auf den Aufstieg einer bestimmten sozialen Schicht zu Ansehen und Einfluss verwiesen.

Patrizier Manlius Capitolinus: 392 v. Chr. röm. Konsul, trat 22.5–6
385 für einen allgemeinen Schuldenerlass zugunsten der Plebejer ein und wurde daraufhin von den Patriziern angeklagt und zum Tode verurteilt.

wasche ich meine Hände: Anspielung auf »Ich wasche meine 22.22–23
Hände in Unschuld« nach Psalm 73,13 und dem Ausspruch des Pilatus bei Matthäus 27,24. Vgl. auch *Rund um den Kongreß. Posse in fünf Bildern* (1929): »Ich heiße Pontius Pilatus und wasche meine Hände in Unschuld« (GW 1,238).

Das Zeitalter der Fische: Diese Vorstellung beruht auf der klas- 23.17
sisch-babylonischen Astrologie, die ganze Zeitepochen von dem jeweils dominierenden Sternbild geprägt sah. Nach Hans Künkel, *Der Mythos von den Weltzeitaltern*, Jena 1922, begann das Zeitalter der Fische etwa 150 v. Chr. und endete um 1950. Ihm folgte das Zeitalter des Wassermanns.
Im Gegensatz zur christl. Tadition, in der der Fisch ein Geheimzeichen und Wortsymbol für den Erlöser darstellt (griech. Ichthys = Fisch; diente als Glaubensformel für die verfolgten frühen Christen: *Iesous Christos Theou Hyos Soter* = Jesus Christus, Gottes Sohn, Heiland), fungiert der Fisch im Roman als Chiffre für Gefühllosigkeit und Zynismus. Julius Caesar als Amateurastrologe (S. 27,12) prophezeit mit dem Zeitalter der Fische zugleich kalte Zeiten. Er sieht eine emotional kalte, entindividualisierte Generation heranwachsen, ohne geistige Ideale und menschliche Werte. Das Zeitalter der Fische wird dadurch auch zum Symbol für die nationalsozialistische Ära.

Erfinder: Ein bei Horváth häufig wiederkehrendes Motiv au- 23.21
tobiografischen Ursprungs, denn sein Vater beschäftigte sich mit »Erfindungen«; vgl. *Ein königlicher Kaufmann* (GA 7,62ff.); *Original-Zaubermärchen* (GA 7,55ff.); die Vorarbeiten zu *Geschichten aus dem Wienerwald* (GW 2,207ff.) und zu dem 1932 uraufgeführten Volksstück *Kasimir und Karoline* (GW 2,444f.); sowie die Figur des Kakuschke im 1930 erschienen Roman *Der ewige Spießer*.

24.19 **Julius Caesar:** Seine Gedankengänge sind v. a. von Sigmund Freuds Schriften und von Otto Weiningers (1880–1903) Studie *Geschlecht und Charakter* (1903) beeinflusst. Mutmaßliches Vorbild für diese Figur dürfte nach Auskunft von Horváths Bruder Lajos der Hauptlehrer Ludwig Köhler gewesen sein (vgl. Kommentar S. 162).

25.18–21 **die Selbstbefriedigung [. . .] Konsequenzen etcetera:** »Der alte Glaube an die ungeheuerlichen Gefahren und die eminente Schädlichkeit der Onanie spukt noch wie ein Schreckgespenst in gewissen, zum Teil in Hunderten von weitverbreiteten populären Schriften. [. . .] Heute sind alle erfahrenen Aerzte, die sich mit dem Studium der Onanie und ihren Folgen beschäftigt haben, der Ansicht, daß mäßige Onanie bei gesunden, erblich nicht belasteten Personen keine schlimmen Folgen hat« (Bloch, S. 466).

25.27–28 **euer Frühlingserwachen:** Anlehnung an Frank Wedekinds (1864–1918) Drama *Frühlings Erwachen* (1890/91); vgl. auch den Untertitel zu Horváths Fragment *Der Lenz ist da! Ein Frühlingserwachen in unserer Zeit* (GA 7,100ff.).

25.35 **Erotomane:** Nach Iwan Bloch (1872–1922), einem der Begründer der modernen Sexualwissenschaft, ist Erotomanie das übersteigerte Interesse an sexuellen Dingen und Ausdruck »übermäßiger Sehnsucht nach Liebe«; abgeleitet wird es von griech. eros (= Liebe) und mania (= Wahnsinn); die zeitgenössische Sexualwissenschaft sieht in der Erotomanie auch einen »Verteidigungsmechanismus gegen starke homosexuelle Neigungen, die sie durch den Verkehr mit dem anderen Geschlecht verdrängen kann« (Lo Duca).

27.1 **›Über die Würde des menschlichen Lebens‹:** Vmtl. eine Anspielung auf das Buch *Über die Würde des Menschen* des ital. Humanisten und Philosophen Giovanni Pico della Mirandola (1463–1494). *De dignitatae hominis* (1487) gilt als eines der »eindrucksvollsten Zeugnisse der Renaissance« (Salvatore Ruta). 1492 wurde es von Papst Innozenz VII. (1432–1492) verboten, weil darin der Mensch als Abbild Gottes und für sich selbst verantwortlich geschildert wird.

27.12 **Amateurastrolog:** Astrologie taucht in vielen Werken Horváths auf, z. B. in *Rund um den Kongreß*, *Geschichten aus dem Wie-*

nerwald, Die Unbekannte aus der Seine von 1933, *Hin und her, Figaro läßt sich scheiden, Der ewige Spießer.* Horváth hatte einen ausgesprochenen Faible für Übersinnliches, wie Klaus Mann (1906–1949) schrieb: »Er war verliebt ins Unheimliche; aber durchaus nicht in spielerischer, ästhetizistischer, literarischer Weise; vielmehr war das Unheimliche, war das Dämonische in ihm, als ein Element seines Wesens« (zit. n. Hildebrandt/Krischke, S. 130).

Der Tormann: Vgl. dazu die Varianten im *Sportmärchen: Legende vom Fußballplatz* von 1925 (GW 4,10ff.) und im Stück *Himmelwärts* von 1934 (GW 3,1f.). 28.1

die oberste Sportbehörde: Indem der Nationalsozialismus das humanistische Bildungsprinzip verwarf und der körperlichen Ertüchtigung absolut den Vorrang gab, schuf er die Voraussetzung für das Konzept der politischen Erziehung. Zum Reichssportkommissar war am 28.4.1933 der SA-Führer Hans von Tschammer und Osten (1887–1943) ernannt worden, der am 19.7.1933 zum »Reichssportführer« avancierte. 29.35

Der totale Krieg: 1935 erschien unter diesem Titel ein Buch des ehemaligen Chefs des Generalstabes Erich von Ludendorff (1865–1937); später, am 18.2.1943, adaptierte Goebbels diesen Begriff und verkündete im Berliner Sportpalast unter dem Jubel aller Anwesenden den »totalen Krieg«. 31.25

Hinsichtlich der Makrokomposition bestehen übrigens Äquivalenzbezüge zwischen den Überschriften der Abschnitte 8, 9, 11, 14 (»Der totale Krieg«, »Die marschierende Venus«, »Der verschollene Flieger« und »Der römische Hauptmann«), die sich alle des militärischen Wortschatzes bedienen.

die Aufsichtsbehörde: Aufsichtsbehörde für die Gymnasien in Bayern war das Bayerische Ministerium für Unterricht und Kultus. Die Gleichschaltung des Schulwesens im Zuge der Machtergreifung begann zuerst bei der Lehrerschaft, die durch das »Gesetz zur Wiederherstellung des Berufsbeamtentums« vom 7.4.1933 unter Druck gesetzt wurde. Die Lehrer und ihre Ehepartner mussten schon weit vor den Nürnberger Rassegesetzen einen Ariernachweis erbringen. Eine Parteimitgliedschaft wurde nicht verlangt, jedoch die Mitgliedschaft in mindestens einem der angeschlossenen Verbände; die Teilnahme an NS-Veranstal- 31.26

tungen galt als erwünscht. Für die Schüler änderte sich vorerst nur Formales. Die Zensuren wurden auf vier Notenstufen (sehr gut, gut, genügend, nicht genügend) umgestellt. Die Stundentafeln verschärften die seit längerem offenkundigen Tendenzen. Der Deutschunterricht stand mit mtl. 38 Stunden an der Spitze der traditionellen Unterrichtsfächer, nur übertroffen von »Leibeserziehung« mit mtl. 45 Stunden (vgl. Selbmann, S. 171f.).

31.28–29 **Weisung an alle Mittelschulen**: Vgl. das Schreiben des Bayerischen Staatsministeriums für Unterricht und Kultus vom 15.5.1933 an »4. die Direktorate der staatl. höh. Unterrichtsanstalten 5. die Direktionen der staatl. Fachschulen« (Abdruck) »Betreff: Überlassung von Räumen und Plätzen zu bestimmungsfremden gemeinnützigen Zwecken.« : »1. Der Gedanke des Wehrsportes und der körperlichen Ertüchtigung ist möglichst zu fördern. Für diese Zwecke sollen geeignete Räumlichkeiten und Grundstücke (Schulhöfe, Spielplätze) in weitestem Maße zur Verfügung gestellt werden. Die überlassenen Liegenschaften dürfen nur zu Zwecken verwendet werden, die sich im Rahmen der Richtlinien des Reichskuratoriums für Jugendertüchtigung halten« (ARS 200/5, Marktarchiv Murnau).

31.29–30 **Zeltlager**: Das Hochlandlager 1934 zwischen Riegsee und Aidling, 10 km von Murnau entfernt, das vom 4. bis 28.8.1934 mit 6 000 Jungen in 320 Zelten stattfand, ist die Vorlage für Horváths Darstellung. Das *Murnauer Tagblatt* nennt es am 24.5.1934 »Das gewaltigste Zeltlager Deutschlands im Aidlinger Gebiet!« 1935 fand das Hochlandlager in der Jachenau bei Lenggries und 1936 in Königsdorf bei Bad Tölz statt.

32.9–10 **eines abgelegenen Dorfes**: Vmtl. der oberbayrische Marktflecken Murnau, der Horváth zu den Theaterstücken *Zur Schönen Aussicht* und *Italienische Nacht* sowie zu mehreren Prosaskizzen (*Ein sonderbares Schützenfest, Die Fürst Alm, Der Stolz Altenaus* u. a.) anregte. Die Broschüre *Hochlandlager 1934. Illustriertes Blatt zur Pflege Deutscher Kultur* (Nr. 13/14, Juli 1934) wirbt folgendermaßen für Murnau: »Murnau (700 m. ü. M.) bietet Erholung, Ruhe, viel Wald, schöne Spazierwege, Höhenluft, Wasser. – Herrliches Strandbad, neue Tennisplätze, neuerbautes Verkehrsgebäude mit Lesesaal, Sportplatz, Gymnastik- und Schwimmkurse, Reitunterricht, Wanderungen,

Bergtouren. [. . .] Murnau am Staffelsee ist der ideale Sportplatz im Sommer und im Winter.«

lauter Zweitausender: Horváth beschreibt in der Prosaskizze 32.30–31 *Die Fürst Alm* die Berge, die von Murnau aus in südl. Richtung den Horizont begrenzen und alle um die 2000 m hoch sind: »Von der Fürst Alm sieht man die Berge von Allgäu bis Tölz, Zugspitze und Wetterstein, Teufelsgrat, Wank und Krottenkopf, Heimgarten, Herzogstand, Benediktenwand und das Ettaler Manndl. [. . .] Nirgends in ganz Oberbayern hat man solch einen instruktiven Überblick über eine typisch oberbayerische Landschaft« (GW 4,94).

Die marschierende Venus: Ironische Anspielung auf die zahl- 35.23 reichen bildlichen Darstellungen von Venus als »Schlafende« oder »Ruhende«.

das »Verschollenen-Flieger-suchen«: »Jedes gesunde und fri- 37.21 sche Mädel wird sich freuen, ab und zu einmal Gewandtheit, Ausdauer und Schneid im Nahkampf beweisen zu können. [. . .] Als Beispiel sei hier das Spiel vom abgestürzten Flugzeug angeführt. [. . .] Der Flieger sei in einem größeren Gebiet versteckt und zwar so, daß er schwer gefunden werden kann (Unterholz, Höhle, Baumwipfel). Beide Parteien setzen sich zu gleicher Zeit in Bewegung. Sie schicken Späher ins Vorgelände, um den Flieger aufzufinden. [. . .] Der Flieger darf von sich aus nicht in den Kampf eingreifen, er ist ›neutral‹, bis er von einer der beiden Gruppen gefunden wird. An der Stelle, wo der abgestürzte Flieger aufgefunden worden ist, hat die Finderpartei ein festes Lager zu beziehen, um den wertvollen Besitz bis zum Ende des Spiels zu verteidigen. Die andere Partei ist natürlich nunmehr bestrebt, in überraschendem Angriff den Feind zu besiegen, um sich dennoch des Fliegers zu bemächtigen« (Zinsinger, S. 107).

für den Fall eines Krieges: »Diese zu Geländespielen umgeform- 37.25–26 ten Kriegsspiele werden von der männlichen Jugend mit großer Begeisterung aufgenommen und gespielt. Und das kann nicht wundernehmen; denn im Knaben steckt schon viel vom künftigen Soldaten. [. . .] Das deutsche Mädel soll nach dem Willen unseres Führers nicht militärisch erzogen werden, um [. . .] in Frauenbataillone eingereiht zu werden. [. . .] Die Wesensart der Frau (und damit auch des Mädchens) ist verschieden von der des

Mannes und des Knaben. Infolgedessen ist auch die Betätigungsweise beider Geschlechter in der Arbeit aber auch schon im Spiel eine wesentlich verschiedene. Das gilt auch für das Fahrtenspiel« (Zinsinger, S. 104f.).

42.18 **zum Pfarrhaus:** Als Vorbild hat Horváth möglicherweise das Pfarrhaus in Aidling bei Murnau gedient. Wie viele Pfarrhäuser liegt es neben der Kirche; untypisch ist jedoch, dass es einem Bauernhof ähnelt und von einem Garten umgeben ist, in dem damals schon Gemüse und Obst gediehen. Am Ende der Aidlinger Dorfstraße lebten in den Zwanziger- und Dreißigerjahren die Tagelöhner in ärmlichen Hütten.

42.31–43.6 **Das Pfarrhaus liegt [. . .] alles zu Staub:** Burckhard Garbe hat in seiner poetologischen Studie zu *Jugend ohne Gott* an vielen Beispielen belegt, daß Horváth den Roman »mit sehr bewußter sprachverwendung und minutiös geplanter textorganisation« komponiert hat. Zu dieser Passage schreibt er etwa: »Hier finden sich: entsprechungen, analogien, wiederholungen, repetitionsfiguren, parallelismen, kurz: äquivalenz; und gleichzeitig verweigerungsformen der parallelität, nicht-wiederholung, abweichen vom entsprechungsgebot und von der ›normal‹-grammatik: deviation« (Grabe, S. 93).

43.17 **daß Gott einen Weltkrieg zuläßt:** Vgl. dazu *Charlotte. Roman einer Kellnerin* von 1929/30 (GA 8,409–418) und die Vorarbeiten zum Roman *Der ewige Spießer* (GW 4,427f.).

43.19 **Gott hängt am Kreuz:** Zu diesem »Bild-Zitat« schreibt B. Kranzbühler: »Sog. ›schwarze‹ Kreuzigungsgruppen gibt es vor allem bei Grünewald und Lucas Cranach, es fand sich aber keine mit der [von Horváth] beschriebenen Figurenkomposition. Da das Bild auch bei den Eltern des Lehrers hängt, die offensichtlich einfache Leute sind [. . .], muß man auch an Nazarener bzw. Präraffaeliten denken.«

44.29–30 **dem heiligen Ignatius:** Der kath. Ordensgründer bask. Herkunft Ignatius von Loyola (1491–1556), dessen 1548 erschienene *Exercitia spiritualia* (dt.: Geistliche Übungen) die geistige Grundlage für die 1534 gegründete »Gesellschaft Jesu« bildeten. Im »Epilog« zur Buchausgabe des Dramas *Gottes General* (Hamburg/Wien 1948) von F. Th. Csokor berichtet dieser, Horváth habe ihn Anfang 1937 gefragt, »warum man heute zu

Helden historischer Dichtungen statt Königen und Kriegern nicht Heilige lieber wähle? [. . .] Und da sei der frühere Fähnrich Ignatius von Loyola, dem es gelang, das ganze Problem, das wir heute ›Reeducation‹ nennen würden, in einem einzigen Satz für die Ewigkeit zu formulieren: ›Ich gehe mit jedem durch seine Türe hinein, um ihn durch meine Türe herauszuführen.‹«

Ich gehe mit jedem Menschen: Zitat nach dem Brief des Ignatius   44.30
von Loyola, den er Anfang September 1541 aus Rom an PP.
Salmerón und Broet »Über die Art und Weise der Arbeit des Umgangs (mit Menschen) im Herrn« schrieb. Darin empfiehlt er, wenn »Jemand für die Sache Gottes unseres Herrn« gewonnen werden soll, »sollten wir es ähnlich machen, wie der Teufel, wenn er einen guten Menschen in die Netze seines Verderbens ziehen will – [. . .] Jener kommt nämlich durch die Türe des andern herein und weiß ihn durch seine eigene mit herauszunehmen« (von Balthasar, S. 109).

Kennen Sie einen Staat: Den Staatsvorstellungen des Pfarrers   45.20
liegen Gedanken aus der *Nikomachischen Ethik* und der *Politika* des Aristoteles (384–322 v.Chr.) zugrunde. Dazu B. Kranzbühler: »Aus der *Nikomachischen Ethik* kommt die Vorstellung, höchstes Gut des Lebens sei die Glückseligkeit (Eudaimonia); diese sei u. a. durch ein Aristoteles' ethischen Forderungen entsprechendes Leben, mit anderen zusammen, im Staat erreichbar. In der *Politika* heißt es, der Mensch trage von Natur aus den Trieb zur Gemeinsamkeit in sich, der Staat sei ein der Familie und der Dorfgemeinschaft übergeordnetes Gemeinwesen, dessen Ziel die Erhaltung, Sicherung und Vervollkommnung des physischen und ethischen Lebens, also Eudaimonia, sei.«

Pascal: Blaise Pascal (1623–1662), franz. Philosoph, in dessen   46.12
Buch *Pensées* (1669) in Form von Aphorismen, Gesprächen und Dialogen Glaubenserfahrungen dargelegt werden. Die Forschung vermutet im fiktiven Gesprächspartner Pascals den ungläubigen Skeptiker Pascal selbst, vor und nach der »Bekehrung«. Das Gespräch zwischen Lehrer und Pfarrer ist im wesentlichen durch die *Pensées* beeinflusst.

der Staat ist naturnotwendig: Vgl. hierzu auch den Paulus-Brief   46.28
an die Römer 13,1: »Jedermann unterwerfe sich den vorgesetzten Obrigkeiten, denn es gibt keine Obrigkeit außer von Gott,

und die bestehenden sind von Gott angeordnet.« Sowie 13,5: »Daraus folgt, daß man sich unterordnen muß nicht nur um der Strafe, sondern auch um des Gewissens willen.« Vgl. ferner den Paulus-Brief an Titus 3,1, den 1. Brief des Petrus 2,13 und 2,18 sowie Matthäus 8,9.

48.22–23 »**Gott ist das Schrecklichste auf der Welt.**«: Dieser Aussage liegt die Vorstellung des alttest. strafenden Gottes zugrunde.

49.14 **Thales von Milet**: 624–546 v.Chr., erster griech. Philosoph, Mathematiker und Astronom, einer der sieben Weisen; nach seiner naiv-materialistischen Auffassung war alles aus dem Wasser bzw. Feuchten entstanden.

49.18 **Anaximander**: um 610–546 v. Chr., griech. Philosoph, folgt in seinen Ansichten denen von Thales. Das Zitat stammt aus *Peri physeos* (dt.: Über die Natur. In: W. Diels/W. Kranz (Hg.), *Die Fragmente der Vorsokratiker*, Dublin/Zürich 1968).

49.27 **Der römische Hauptmann**: Das Motiv des »römischen Hauptmanns« (vgl. Mk 15,39 und Matthäus 27,54) läuft parallel zur Lebenssituation des Icherzählers, der allerdings gegen Ende des Romans seine Beobachterrolle aufgibt und handelt. Der Lehrer sieht in dem röm. Hauptmann einen Menschen, der erkannt hat, dass seine Welt und seine Wertvorstellungen dem Untergang geweiht sind; vgl. auch *Rund um den Kongreß* und die Prosaskizze *Der römische Hauptmann*.

52.20–21 **Ein Blitz durchzuckte [...] er blieb stehen**: Vgl. Matthäus 27,51: »Und siehe, der Vorhang des Tempels riß von oben bis unten entzwei, die Erde bebte, und die Felsen spalteten sich.« Und Matthäus 27,54: »Als der Hauptmann und jene, die mit ihm Jesus bewachten, das Erdbeben sahen und was alles geschah, erschraken sie sehr und sprachen: »Wahrhaftig, dieser war Gottes Sohn!« (Vgl. auch Mk 15,38–39.)

54.3 **die Offenbarung**: Vgl. Offb 22,12–14: »Siehe, ich komme bald, und mit mir mein Lohn, um einem jeden zu vergelten nach seinem Werke. [...] Ich bin das Alpha und das Omega, der Erste und der Letzte, der Anfang und das Ende. Selig, die ihre Kleider (im Blute des Lammes) waschen! Sie sollen Anrecht erhalten auf den Baum des Lebens und durch die Tore eingehen in die Stadt.«

58.1 **»Weil er ein Plebejer ist.«**: »Die Kleinbürger stellt Horváth am Beispiel des Bäckermeisterehepaars N als fanatische Anhänger des Regimes dar. Sie unterstützen den offiziellen Rassismus und Militarismus, indem sie in diesem Geiste ihren Sohn erziehen [S. 16,10–13 u. S. 59,12–16] und ihn zur Denunziation von Opponenten anhalten [S. 59,23–27]. Horváth zeichnet präzise Sprachporträts, um ihre Denk- und Sprechweise satirisch zu entlarven. In diesen Sprachporträts sind verschiedene Elemente verschmolzen: ein gestelzter ›Bildungsjargon‹ [S. 17,9–10 u. S. 80,6–7], Propagandaphrasen, die durch ihre schiefe Bildlichkeit lächerlich wirken, aber beängstigend durch ihre Aggressivität [S. 16,28–32], und Sätze, in denen der rasche Wechsel von Sentimentalität und Brutalität Unfähigkeit zu humanem Empfinden offenbart [S. 59,16–22]« (Kaiser, S. 61).

Der Mann im Mond: Anspielung auf *The Man in the Moone* (1625–1629; dt.: Der Mann im Mond) von Francis Godwin (1561–1633), die utopisch-phantastische Schilderung einer idealen Gesellschaftsordnung auf dem Mond.   68.5

Sündflut: Das Thema Erbsünde ist im Text durch eine Reihe alttest. Motive von Anfang an präsent: 1. durch die Motivkette »Regen – Sintflut – Gottesstrafe (S. 13,21–27) – Über den Wassern« (S. 142); 2. durch die Motive »Adam und Eva« (S. 58) sowie die »Vertreibung aus dem Paradies« (S. 97). Die Frage der Schuld stellt sich im Roman wie folgt: beim Mord – als persönliche Schuld – als menschliche Urschuld.   74.19

spiritistischen Zirkel: Nach Horváth gehörten zu den Vergnügungen des Mittelstandes u. a. *Mystik, Okkultismus, Spiritismus* (GA 8,646ff.). Vgl. hierzu auch den Beitrag von Traugott Konstantin Oesterreich: *Die Stellung der heutigen Wissenschaft zum Spiritismus*, in dem es heißt: »Was die Menge der Bildungslosen in die spiritistischen Sitzungen hineintreibt, die Hoffnung mit Geistern, mit Verstorbenen oder höheren Geistern, auch wohl ›Elementargeistern‹, verkehren zu können, stößt den Wissenschaftler im allgemeinen geradezu ab« (*Der Querschnitt*, XII. Jg., H. 12, Berlin, Ende Dezember 1932, S. 855).   80.14

Geburtstag des Oberplebejers: Gemeint ist der 20.4., der Geburtstag Adolf Hitlers, der 1933 erstmals in ganz Deutschland als nationaler Feiertag begangen wurde. Wera Liessem, die Freundin Horváths, gab an, dass der Autor von Hitler nie anders als vom »Oberplebejer« gesprochen hat.   106.16

106.23–24 **Im gleichen Schritt und Tritt**: Zitat nach dem Gedicht von Ludwig Uhland (1787–1862): *Der gute Kamerad* (1809), in dem es
heißt: »Er ging an meiner Seite/In gleichem Schritt und Tritt.«

107.2–3 **ein Fähnchen flattert**: Am 19.4.1937 forderte Goebbels die Be-
völkerung in einer Rede auf, die von allen Rundfunksendern
übertragen wurde, anlässlich des Geburtstags von Hitler am
20.4. alle Häuser und Wohnungen zu beflaggen. In der Wort-
wahl ist der Satz angelehnt an die erste Zeile des Liedes der
Hitlerjugend: »[. . .] unsere Fahne flattert uns voran!«

114.32 **»Für Wahrheit und Gerechtigkeit!«**: Anspielung Horváths auf
den Leitsatz des »Bundes für Menschenrechte e. V.«: »Für
Wahrheit und Recht«. Dieser Verein, der sich u. a. für die Ab-
schaffung des § 175 eingesetzt hatte, wurde durch einen Rund-
erlass vom 23.2.1933 verboten.

116.31 **Ave Caesar, morituri te salutant!**: Zitat aus den Kaiserbiogra-
fien, *De vita Caesarum* (dt.: Über das Leben der Caesaren), des
röm. Schriftstellers Sueton (um 70–um 140), dem zufolge die
Gladiatoren Kaiser Claudius (10 v. Chr.–54) die Worte zuriefen:
»Ave, Imperator [meist zitiert: Caesar], morituri te salutant!«
(Dt.: Sei gegrüßt, Kaiser! Die dem Tode Geweihten grüßen dich!)
Vgl. auch *Geschichten aus dem Wienerwald*.

117.2–3 **die neuen Paragraphen des Gesetzes für öffentliche Sittlich-
keit**: Hitler hatte in *Mein Kampf* (1925/26) die Prostitution als
»eine Schmach der Menschheit« bezeichnet, die nicht »durch
moralische Vorlesungen, frommes Wollen usw.« abzubauen sei,
sondern nur durch die »Beseitigung einer ganzen Anzahl von
Vorbedingungen«. Dieser Absicht entsprachen eine ganze Reihe
von Erlässen (vom 22., 23. und 24.2.1933 zur Bekämpfung der
Geschlechtskrankheiten, der Bordelle und Homosexuellen-
Treffs) sowie die Verordnung zur »Bekämpfung des Schmutzes
in Wort und Bild« vom 7.3.1933. Eine weitere Verschärfung der
sog. »Unzuchtsparagraphen« erfolgte dann durch die Straf-
rechtsreform des Jahres 1935.

122.31 **Freundin des Oberplebejers**: Möglicherweise spielt Horváth
auf die Schauspielerin und Regisseurin Leni Riefenstahl (* 1902)
an, der eine Liaison mit Hitler nachgesagt wurde.

123.6 **Jupiter und Jo**: Häufig reproduzierte Darstellungen von Jupiter
und seiner Geliebten Io waren die des ital. Malers Andrea Schia-

vone (1500–1563) und des niederl. Malers Lambert Sustris (1515/20–1568).

Amor und Psyche: Die bekanntesten Darstellungen sind die des ital. Malers Jacopo Zucchi (1541–1589) und die des franz. Malers Jean-Baptiste Greuze (1725–1805). 123.6–7

Marie Antoinette: Möglicherweise spielt Horváth auf die »erotischen Kupfer[stiche]« an, die den gegen Marie Antoinette (1755–1793), der Gattin König Ludwigs XVI. (1754–1793), gerichteten zeitgenössischen Pamphleten als Titelblätter oder Textillustrationen beigegeben waren und begehrte Objekte für Sammler von Erotica sind. Es handelt sich dabei um meist obszöne Darstellungen der Königin mit einem ihrer Liebhaber. Häufig wurden diese Illustrationen zur Bebilderung kultur- und sittengeschichtlicher Werke der Jahrhundertwende und der Zwanzigerjahre verwendet, so z. B. bei Eduard Fuchs (*Geschichte der erotischen Kunst*, 1908; *Illustrierte Sittengeschichte vom Mittelalter bis zur Gegenwart*, 1909–1912), dessen Werke Horváth bekannt waren. 123.7

bei Marie Antoinette zum Tee: Die »chronique scandaleuse« berichtet, die Tee-Einladungen bei Marie Antoinette hätten oft zu ausschweifenden Orgien geführt. 123.12–13

Hinrichtung der Marie Antoinette: Viele der früheren Gäste Marie Antoinettes sollen als Schaulustige ihrer Enthauptung am 16.10.1793 beigewohnt haben. 123.14–15

Denn Gott ist die Wahrheit: Nach Joh 14,6: »Jesus sprach zu ihm: ›Ich bin der Weg und die Wahrheit und das Leben; niemand kommt zum Vater außer durch mich.‹« 141.29

Über den Wassern: Nach 1. Mose 1,2: »Die Erde war wüst und leer, Finsternis lag über der Urflut, und der Geist Gottes schwebte über den Wassern.« 142.3

Suhrkamp BasisBibliothek
Text und Kommentar in einem Band

In der *Suhrkamp BasisBibliothek*, der neuen Taschenbuchreihe mit preiswerten Ausgaben klassischer und moderner Texte, sind bisher folgende Titel erschienen:

Folgende Titel der *Suhrkamp BasisBibliothek* sind
in Vorbereitung:

LiteraMedia
Mehr lesen. Mehr hören. Mehr wissen.

Jetzt als Buch, Audio Book und CD-ROM.

LiteraMedia ist der Name für eine zeitgemäße Form der Wissensvermittlung: Literarische Hauptwerke aller Gattungen und Epochen erscheinen gleichzeitig

– als kommentierte Buchausgabe in der *Suhrkamp BasisBibliothek*,
– als Audio Book mit Werklesungen, Kommentaren und Originalaufnahmen im HörVerlag sowie
– als multimediale Lern-CD-ROM mit ergänzenden Materialien, Such- und Bearbeitungsfunktionen bei terzio.

Buch, AudioBook und CD-ROM, die selbstverständlich alle einzeln erhältlich sind, ergänzen sich wechselseitig und verweisen aufeinander. Jede Ausgabe ist eine eigenständige Umsetzung in das jeweilige Medium, kann aber ideal mit den anderen kombiniert werden. Mit LiteraMedia läßt sich Literatur in drei Medien erleben.

Diese Ausgabe der »Suhrkamp BasisBibliothek – Arbeitstexte für Schule und Studium« bietet Ödön von Horváths Roman *Jugend ohne Gott* zusammen mit einem Kommentar, der alle für das Verständnis des Werks erforderlichen Informationen enthält: die Entstehungs- und Textgeschichte, eine Analyse der Wirkungsgeschichte, einen kommentierten Forschungsüberblick, Literaturhinweise sowie Wort- und Sacherläuterungen, zu dem zeit- und ideengeschichtlichen Hintergrund, zu den Motivparallelen und sprachlichen Strukturen des Romans. Der Kommentar ist den neuen Rechtschreibregeln entsprechend verfasst. Zu diesem Buch sind auch eine CD-ROM und ein Hörbuch der Firma terzio erhältlich.

Elisabeth Tworek, geboren 1955, ist Leiterin der Monacensia – Literaturarchiv und Bibliothek und hat zahlreiche maßgebliche Aufsätze zu Ödön von Horváth publiziert.